LA FEMME D'UN AUTRE
ET LE MARI SOUS LE LIT

Titre original :
Tchoujaia jéna i mouj pod krovatiou

© ACTES SUD, 1994
pour la traduction française et la présentation
ISBN 2-7427-0127-3

Illustration de couverture :
Louis-Léopold Boilly

FÉDOR DOSTOÏEVSKI

LA FEMME D'UN AUTRE ET LE MARI SOUS LE LIT

UNE AVENTURE HORS DU COMMUN

Traduit du russe et présenté par
André Markowicz

BABEL

PRÉSENTATION

Sous ses apparences d'œuvre mineure, *la Femme d'un autre et le mari sous le lit* est pour le lecteur une pièce importante parce qu'elle met en lumière l'humour très particulier de Dostoïevski, épars dans toute son œuvre, et toujours prêt à affleurer même sous les dehors les plus tragiques.

Il s'agit d'une pochade – et même, de deux pochades. Dostoïevski avait écrit à l'origine deux nouvelles distinctes, intitulées, l'une, *la Femme d'un autre* (sous-titrée : *Une scène de rue*) et, l'autre, *le Mari jaloux (Une aventure extraordinaire)*. Ces deux nouvelles, publiées en janvier et novembre 1848, appartenaient au premier grand projet de Dostoïevski, à ses *Carnets d'un inconnu*. Elles furent refondues en un seul texte pour le premier tome des *Œuvres* publiées en 1860, après le bagne et la relégation.

Ce texte reste lié au style des feuilletons publiés dans les journaux des années 1840, et, surtout, à celui du vaudeville, au point qu'on a pu croire qu'il était écrit directement pour le théâtre. Des témoignages de contemporains attestent qu'il fut apprécié. L'essayiste radical Tchernychevski, quant à lui, écrivait, férocement, dans son journal : "Lu *le Mari jaloux*… Cela m'a un peu ragaillardi au sujet de Dostoïevski et de ses semblables ; c'est quand même un progrès par rapport à ce qu'il faisait avant, et, quand ces gens-là ne prennent pas de sujets trop hauts pour eux, ils peuvent être bons et même charmants." Dostoïevski était, en 1848, l'auteur du *Double* et de *la Logeuse*.

Un malaise peut naître à la lecture des pages qui vont suivre, malaise d'autant plus inquiétant qu'il est voulu. Ce ridicule interminable, grotesque, sans pitié, est bel et bien celui de *Polzounkov*. C'est déjà un écho de *l'Eternel Mari*.

A. M.

LA FEMME D'UN AUTRE
ET LE MARI SOUS LE LIT

I

— Pardon de vous importuner, monsieur, mais puis-je vous demander… ?

Le passant sursauta et, quelque peu effrayé, lorgna le monsieur en raton qui venait de l'aborder avec un tel manque de cérémonie, après sept heures du soir, en pleine rue. Car nous savons que lorsqu'un monsieur de Petersbourg se met soudain à parler en pleine rue à un autre monsieur, monsieur qu'il ne connaît ni d'Eve ni d'Adam, ce monsieur en question ne manquera pas de s'effrayer.

Or donc, le passant tressaillit et s'effraya un peu.

— Pardonnez-moi si je vous dérange de la sorte, disait le monsieur en raton, mais je… je, enfin, je ne sais pas… vous me pardonnerez, sans doute ; vous voyez, je suis dans une espèce de trouble…

C'est là seulement que le jeune homme en redingote remarqua que le monsieur en raton était, de fait, pris d'un grand trouble. Son visage ridé était plutôt pâlot, sa voix grelottait, ses pensées, à l'évidence, s'embrouillaient, les mots lui restaient sur la langue, et l'on voyait toute la douleur terrible que lui avait coûtée la mise au point de cette requête des plus humbles adressée à une personne qui, peut-être, lui était inférieure quant à la classe et quant au rang, malgré le besoin impérieux qu'il éprouvait de s'adresser à quelqu'un pour cette requête. Et puis, enfin, la requête elle-même paraissait indécente, peu sérieuse, étrange, de la part d'un homme porteur d'une pelisse aussi sérieuse, d'un frac si respectable, d'un vert bouteille si excellent et bariolé d'un si grand nombre d'ornements si hautement significatifs. On voyait que cela gênait même le monsieur en raton, de telle sorte qu'à la fin, l'esprit en proie au trouble, le monsieur n'y tint plus, se décidant à dompter son émotion et à mettre fin à une scène désagréable dont il était lui-même l'initiateur.

— Pardonnez-moi, je ne me sens pas bien ; mais, c'est vrai, vous ne me connaissez pas. Pardonnez-moi de vous avoir importuné ; j'ai changé d'avis.

Ici, il souleva son chapeau, en signe de respect, et il courut plus loin.

— Mais, permettez, je vous en prie.

Le petit homme, pourtant, s'était caché dans le noir de la nuit, laissant le monsieur en redingote fort stupéfait.

"Encore un original !" se dit le monsieur en redingote. Puis, après s'être étonné autant qu'il le fallait et être enfin sorti de sa stupéfaction, il se souvint de ses soucis et se remit à faire les cent pas tout en scrutant d'un regard fixe le portail d'un immeuble aux étages innombrables. Le brouillard commençait à tomber, et le jeune homme en fut un peu ragaillardi car sa promenade devait se remarquer un peu moins dans le brouillard, quoique, du reste, le seul qui aurait pu la remarquer était un cocher, resté désespérément à l'arrêt tout au long de la journée.

— Pardonnez-moi !

Le passant tressaillit à nouveau ; le même monsieur en raton se dressait à nouveau devant lui.

— Pardonnez-moi si je reviens…, dit-il, mais vous, vous êtes, bien sûr, un honnête homme ! Ne me considérez pas comme une personne, au sens social du terme ; je m'égare, du reste ; non, comprenez, d'un point de vue humain… vous avez devant vous, monsieur, un homme qui a besoin de la plus humble des requêtes…

— Si c'est en mon pouvoir… que puis-je pour vous ?

— Vous pensez déjà, peut-être, que je vous demande de l'argent ! dit le monsieur mystérieux, qui grimaça, rit d'un rire hystérique et blêmit.

— Mais, voyons, monsieur…

— Non, je vois que je vous dérange ! Pardonnez-moi, je n'arrive plus à me supporter ; comptez que vous me voyez l'esprit en proie au plus grand trouble, pour ainsi dire à la folie, et n'allez pas conclure Dieu sait quoi…

— Mais au fait, au fait ! répondit le jeune, hochant la tête avec impatience pour l'encourager.

— Ah ! c'est ainsi, maintenant ! Vous, un homme aussi jeune, me rappeler au fait comme si je n'étais qu'un petit polisson ! Non, résolument, je deviens gâteux !… De quoi ai-je l'air devant vous dans mon abaissement, répondez-moi, oui, la main sur le cœur ?

Le jeune homme rougit et garda le silence.

— Permettez de vous le demander sincèrement : vous n'auriez pas vu une dame ? Voilà toute ma requête ! prononça enfin, d'une voix résolue, le monsieur en pelisse de raton.

— Une dame ?

— Eh oui, une dame.

— Si… mais, je vous l'avoue, il y en a tellement qui sont passées…

— Eh oui, répondit le monsieur mystérieux avec un sourire plein d'amertume. Je m'égare, ce n'est pas ce que je voulais vous demander, je voulais dire, n'auriez-vous pas vu une certaine dame en manteau de renard, avec un capuchon de velours sombre et une voilette noire ?

— Non, elle, je ne l'ai pas vue… non, je n'ai pas remarqué, je ne crois pas.

— Ah ! dans ce cas, pardon !

Le jeune homme voulait demander quelque chose, mais le monsieur en raton avait de nouveau disparu, laissant, une fois de plus, son interlocuteur patient fort stupéfait. "Ah, qu'il aille au diable !" se dit le jeune homme en redingote, visiblement affecté.

Plein de dépit, il se cacha dans son castor et se remit à faire les cent pas, tout en gardant une grande prudence, devant le portail de l'immeuble aux étages innombrables. Il était furieux.

"Mais qu'est-ce qu'elle fait, à ne pas sortir ? se demandait-il. Bientôt huit heures !"

Huit heures sonnèrent à la tour.

— Ah ! le diable vous emporte, enfin !

— Pardon, monsieur !…

— Pardonnez-moi si je vous ai… Mais vous vous êtes retrouvé dans mes jambes si brusquement, vous m'avez vraiment fait peur, marmonna le passant, faisant la moue et s'excusant.

— Je m'en retourne vers vous, monsieur. Bien sûr, je dois vous paraître ému, monsieur, et fort étrange.

— Je vous en prie, passez-moi ces bêtises, expliquez-vous plus vite ; je ne sais pas encore en quoi consiste votre désir…

— Vous êtes pressé ? Voyez-vous, monsieur… Je vais tout vous raconter sincèrement, sans paroles inutiles. Que voulez-vous ! Les circonstances réunissent parfois des gens au caractère absolument incompatible… Mais, je le vois, vous êtes impatient, jeune homme… Eh bien, n'est-ce pas… du reste, je ne sais pas comment dire… Je cherche une dame, n'est-ce pas – je me décide à tout vous expliquer. Il faut précisément que je sache où cette dame s'est rendue. Qui elle est, je pense que vous n'avez pas besoin de connaître son nom, jeune homme.

— Fort bien, bien, et après ?

— Après ! Mais ce ton avec moi ! Pardonnez-moi, peut-être vous aurai-je offensé en vous disant "jeune homme", mais je n'avais rien… bref, si vous souhaitez me rendre le plus grand des services, eh bien, n'est-ce pas, c'est une dame, n'est-ce pas, c'est-à-dire, je veux dire, une femme honnête, d'une famille excellente, de mes amies… on m'a confié… moi-même, voyez-vous, je n'ai pas de famille…

— Eh bien ?

— Mettez-vous à ma place, jeune homme – ah, encore ! pardonnez-moi, n'est-ce pas ; je vous dis toujours "jeune homme". Chaque minute vaut de l'or… Imaginez que cette dame… mais, vous ne pouvez pas me dire qui habite cet immeuble ?

— Mais… Beaucoup de gens…

— Oui, c'est-à-dire, vous avez absolument raison, répondit le monsieur en raton, avec un petit rire pour sauver les convenances, je sens que je m'égare un peu… mais pourquoi ce ton dans vos paroles ? Vous voyez, je vous avoue très sincèrement que je m'égare, et, si vous êtes orgueilleux, vous n'avez que trop vu dans quel abaissement je suis… Je dis, une dame, de bonnes mœurs, c'est-à-dire, mais de contenu frivole, pardon, je m'égare tellement, c'est comme, je ne sais pas, si je parlais littérature ; tenez, ils vous inventent que Paul de Kock est de contenu frivole, et tout le malheur, il vient de Paul de Kock, n'est-ce pas !… voilà !…

Le jeune homme posa un regard plein de pitié sur le monsieur en raton, lequel semblait s'être égaré de façon définitive, s'était tu, le regardait avec un sourire absurde, et, d'une main tremblante, sans raison apparente, l'avait saisi par le revers de sa redingote.

— Vous demandez qui vit ici ? demanda le jeune homme tout en reculant d'un pas.

— Oui, beaucoup de gens, vous m'avez dit.

— Ici… je sais qu'il y a aussi Sofia Ostafievna, murmura le jeune en chuchotant, et même avec une sorte de compassion.

— Ah, vous voyez, vous voyez ! vous êtes au courant de quelque chose, jeune homme ?

— Je vous assure, non, je ne sais rien… Je jugeais à votre trouble.

— Je viens d'apprendre par la cuisinière qu'elle venait ici ; mais vous n'êtes pas tombé sur celle que je… c'est-à-dire, ce n'est pas Sofia Ostafievna… Elle ne la connaît pas, elle…

— Ah bon ? Alors, pardon…

— Je vois que tout ça ne vous intéresse pas, jeune homme, répliqua le monsieur mystérieux avec une ironie amère.

— Ecoutez, dit le jeune homme un peu gêné, au fond, je ne connais pas les raisons de votre état, mais on vous a trompé, sans doute, dites-le-moi tout net…

Le jeune homme eut un sourire complice.

— Au moins, nous saurons nous comprendre, ajouta-t-il, et tout son corps démontra le désir de faire une ébauche de demi-révérence.

— Vous m'avez tué ! mais – je vous le confesse sincèrement… c'est exactement ça… ça arrive à tout le monde !… Votre sympathie me touche au plus profond. Accordez-moi, entre jeunes gens… Je ne suis plus jeune, bien sûr, mais, vous savez, l'habitude, la vie de bâton de chaise, entre collègues, on sait ce que c'est…

— Mais oui, mais oui, on sait ce que c'est ! Mais en quoi donc puis-je vous aider ?

— Eh bien, voilà, n'est-ce pas ; accordez-moi que, rendre visite à Sofia Ostafievna... Du reste, je ne suis pas encore sûr de l'endroit où cette dame s'est rendue ; je sais seulement qu'elle est dans cet immeuble ; mais, vous voyant vous promener, et, moi-même me promenant de ce côté, je me dis... c'est-à-dire, voyez-vous, cette dame, je l'attends... je sais qu'elle est ici... je voudrais la rencontrer ici et lui expliquer qu'il est indécent, monstrueux de... bref, vous me comprenez...

— Hum !... Eh bien ?

— Et ce n'est pas pour moi que je le fais ; n'allez pas croire – c'est la femme d'un autre ! Le mari, il attend là-bas, sur le pont Voznessenski ; il veut lui tendre un piège, il n'ose pas – il n'y croit pas encore, comme tous les maris... (ici, le monsieur en raton voulut faire un sourire) moi – je suis son ami ; accordez-moi, je jouis d'un certain respect... je ne peux pas être ce pour quoi vous me prenez.

— Evidemment ; et puis ? et puis ?

— Eh bien, je lui tends ce piège ; c'est ma mission (infortuné mari !) ; mais je le sais, la jeune dame est rusée (toujours son Paul de Kock sous l'oreiller) ; je suis sûr qu'elle arrivera à se faufiler, sans qu'on la remarque... Je l'avoue, la cuisinière m'a dit qu'elle venait dans cet immeuble ; j'ai couru, comme un fou, dès que j'ai eu cette nouvelle ; je veux la prendre sur le fait ; je soupçonnais depuis longtemps, et c'est pourquoi je voulais

vous demander, vous aussi, vous marchez ici…
vous… vous, je ne sais pas…

— Eh bien, quoi, à la fin, que voulez-vous ?

— Oui, n'est-ce pas… Je n'ai pas l'honneur de
vous connaître ; je n'ose vous demander qui, quoi,
comment… En tout cas, permettez-moi de faire connaissance… heureux hasard !

Le monsieur tremblant serra avec chaleur la main
du jeune homme.

— Cela, j'aurais dû le faire depuis le début, ajouta-
t-il, j'ai oublié toutes les convenances !

Tout en parlant, le monsieur en raton ne tenait
pas en place, il regardait autour de lui avec une grande
inquiétude, n'arrêtait pas de bouger les jambes et,
à chaque seconde, comme un mourant, prenait et
reprenait le bras du jeune homme.

— Voyez-vous, n'est-ce pas, poursuivait-il, je
voulais m'adresser à vous, comme à un ami…
pardonnez-moi cette liberté… je voulais vous
demander de marcher – de l'autre côté, et du côté
de la ruelle, celle de l'entrée de service, de dessiner,
si vous voulez, la lettre Π*. Moi aussi, de mon côté,
je marcherai devant l'entrée principale, et donc,
elle ne pourra pas nous échapper ; j'avais très peur,
tout seul, qu'elle m'échappe ; je ne veux pas qu'elle
s'échappe. Vous, si vous la voyez, vous l'arrêtez,
vous criez… Non, je suis fou ! C'est seulement
maintenant que je vois toute la bêtise, toute l'indé-
cence de ma proposition !

* La lettre P de l'alphabet cyrillique. *(N.d.T.)*

— Non, mais… enfin ! Voyons !…

— Ne cherchez pas à m'excuser ; mon esprit est troublé, je m'embrouille comme jamais ! Comme si je passais en jugement ! Je vous avouerai même – je serai honnête et sincère avec vous, jeune homme ; je vous prenais pour l'amant !

— C'est-à-dire, tout bonnement, vous voulez savoir ce que je fais ici ?

— Cher honnête homme, mon bon monsieur, je suis loin de penser que vous êtes *lui* ; je ne vous salirai pas par cette idée, mais… mais, vous me donnez votre parole d'honneur que vous n'êtes pas l'amant ?

— Bon, c'est bien, si vous voulez, parole d'honneur, je suis l'amant, mais pas celui de votre femme ; sinon, en ce moment, je ne serais pas ici, dehors, mais dedans, avec elle !

— Ma femme ? qui vous a dit "ma femme", jeune homme ? Je suis célibataire, je suis, c'est-à-dire, un amant moi-même…

— Vous disiez, le mari… pont Voznessenski…

— Bien sûr, bien sûr, je parle trop ; mais d'autres liens existent ! Et, concédez, jeune homme, une certaine légèreté des caractères, c'est-à-dire…

— Bon, bon ! Ça va, ça va !…

— C'est-à-dire, je suis tout, sauf le mari…

— Je vous crois tout à fait. Mais je vous dis sincèrement qu'en vous détrompant aujourd'hui, je veux me tranquilliser moi-même, et que c'est pour cela, au fond, que je suis sincère ; vous m'avez troublé et vous me dérangez. Je vous promets que je vous appellerai. Mais je vous demande humblement de me laisser passer et de vous écarter. Moi aussi, j'attends.

— Je vous en prie, je vous en prie, monsieur, je m'éloigne, je respecte l'impatience passionnée de votre cœur. Je comprends cela, jeune homme. Oh, comme je vous comprends en ce moment !

— C'est bon, c'est bon…

— Au revoir… Mais, excusez, jeune homme, je reviens vers vous… Je ne sais comment dire… Redonnez-moi votre parole d'honneur, votre parole d'honnête homme que vous n'êtes pas l'amant !

— Ah, mais, Seigneur mon Dieu !

— Encore une question, la dernière : vous connaissez le nom du mari de votre… c'est-à-dire de celle qui compose votre objet ?

— Bien sûr que je le connais ; ce n'est pas le vôtre, et voilà tout !

— Et d'où connaissez-vous mon nom ?

— Mais enfin, partez ; vous perdez du temps : elle aura mille fois le temps de partir… Mais qu'est-ce que vous avez ? La vôtre a un manteau de renard avec un capuchon, la mienne en a un à carreaux et un béret de velours bleu ciel… Alors, que vous faut-il encore ? Quoi de plus ?

— Un béret de velours bleu ciel ! Elle aussi, elle a un manteau à carreaux et un béret de velours bleu ciel, s'écria l'homme indécollable qui fit demi-tour en une seconde.

— Ah ! sacredieu ! Mais ça peut arriver… Oui, mais… qu'est-ce que j'ai ? La mienne, elle n'y vient pas, là-bas !

— Mais où est-elle, la vôtre ?

— Vous voulez le savoir ; ça vous regarde ?

— Je vous avouerai, c'est toujours, euh…

— Pff, mon Dieu ! Mais vous n'avez aucune pudeur ! La mienne, elle a des amis, ici, au deuxième, sur rue. Vous voulez quoi, que je vous dise les noms, peut-être ?

— Jésus ! La mienne aussi, elle a des amis au deuxième, et les fenêtres sont sur rue. Un général…

— Un général ?!

— Un général. Et, tant que j'y suis, je vous dis quel général ; le général Polovitsine, voilà.

— Ça alors ! Non, ce n'est pas eux ! (Ah, diable ! sacredieu !)

— Pas eux ?

— Non, pas eux.

Les deux hommes se taisaient, et se regardaient, sidérés.

— Mais qu'est-ce que vous avez à me regarder ? s'écria le jeune homme, en s'ébrouant avec dépit de sa stupeur et de sa songerie.

Le monsieur s'agita.

— Je, je, je vous dirais…

— Non, maintenant, permettez, permettez, parlons d'une façon plus sensée. L'affaire devient commune. Expliquez-moi… Qui avez-vous là-bas ?

— C'est-à-dire, les amis ?…

— Oui, les amis…

— Ah, vous voyez, vous voyez ! Je le lis dans vos yeux, j'avais deviné !

— Sacredieu, mais non, je vous dis, sacredieu ! vous êtes aveugle, ou quoi ? je suis là, devant vous, donc je ne suis pas avec elle, quoi ! ah mais ! D'ailleurs, non, ça m'est égal ; parlez ou taisez-vous, je m'en fiche…

Le jeune homme, furieux, fit deux tours sur ses talons et eut un geste de dépit.

— Mais pas du tout, mais voyons, je suis un homme honnête, je vais tout vous raconter ; au début, ma femme venait ici toute seule ; ils sont parents ; moi, je ne soupçonnais rien ; hier, je tombe sur Son Excellence ; elle me dit qu'elle a déménagé depuis trois semaines, alors que ma… non, justement, pas ma femme, la femme de l'autre (pont Voznessenski), cette dame, donc, disait, il y a encore deux jours, qu'elle était venue chez eux, c'est-à-dire ici, dans cet appartement… Quant à la cuisinière, elle m'a raconté que, l'appartement de Son Excellence, il a été loué par un jeune homme, Bobinitsine…

— Ah, diable, sacredieu !…

— Mon bon monsieur, je suis dans la frayeur, oui, dans l'effroi…

— Eh, sacredieu, mais qu'en ai-je donc à faire, que vous soyez dans la frayeur et dans l'effroi ? Ah ! là, là, quelqu'un qui file, là…

— Où ça ? où ça ? criez seulement : Ivan Andréevitch, j'accours…

— C'est bon, c'est bon. Ah, diable, sacredieu ! Ivan Andréevitch !!

— J'accours ! s'écria Ivan Andréevitch, revenant, complètement hors d'haleine. Alors, quoi ? quoi ? où ?

— Non, c'était juste comme ça… je… je voulais savoir comment s'appelait cette dame.

— Glaf…

— Glafira ?

— Non, pas tout à fait Glafira… pardonnez-moi, je ne peux pas vous dire son nom. En prononçant ces mots, l'homme respectable était blanc comme un linge.

— Oui, bien sûr, je le sais que ce n'est pas Glafira, et l'autre non plus, ce n'est pas Glafira ; mais avec qui est-elle donc ?

— Où ça ?

— Mais, là-haut ! Ah, diable, sacredieu ! (Le jeune homme était tellement furieux qu'il ne pouvait pas rester en place.)

— Ah ! vous voyez ! comment saviez-vous donc qu'elle s'appelait Glafira ?

— Ah, diable, sacredieu ! je ne m'en sors pas, avec vous ! Mais vous venez de me dire que, la vôtre, ce n'est pas Glafira qu'elle s'appelait !…

— Mon bon monsieur, mais ce ton !

— Ah, mais, plus tard, le ton ! C'est votre femme, ou quoi ?

— Non, c'est-à-dire, je ne suis pas marié… mais je n'irai pas souhaiter à un homme dans le malheur – un homme, je ne dirais pas digne de tous les respects, mais, à tout le moins, un homme, enfin, civilisé –, souhaiter, disais-je, le diable à chaque pas. Vous dites toujours : Ah, diable, sacredieu !

— Mais oui, sacredieu ! Voilà, vous comprenez ?

— Vous êtes aveuglé par la colère, et je me tais. Mon Dieu, qui est-ce ?

— Où ça ?

Du bruit et des rires retentirent ; deux demoiselles alertes parurent sur le perron ; les deux hommes se précipitèrent vers elles.

— Ah vous alors ! Qu'est-ce qui se passe ?

— Où vous allez ?

— C'est pas les bonnes !

— Ah ah, on se trompe de dames ? Cocher !

— Où je vous dépose, mamzelle ?

— Au Pokrov ; assieds-toi, Annouchka, je te dépose.

— Bon, je passe de l'autre côté ; fouette ! Et attention, hein, ne traîne pas…

Le cocher disparut.

— D'où ça vient, ça ?

— Mon Dieu, Jésus ! Il ne faudrait pas y aller ?

— Aller où ?

— Mais, chez Bobinitsine.

— Non, monsieur, pas possible…

— Pourquoi ?

— Moi, j'y serais allé, bien sûr ; mais, à ce moment-là, elle, elle dira autre chose ; elle… se tirera d'affaire, je la connais ! Elle dira qu'elle est venue exprès, pour me piéger avec je ne sais qui, et toute la faute retombera sur moi !

— Et dire qu'elle est là-bas, peut-être ! Et vous – mais je ne sais pas pourquoi –, enfin, allez voir le général…

— Quand je vous dis qu'il a déménagé !…

— C'est pareil, vous comprenez ? Elle y est allée, elle ; eh bien, vous aussi – vous avez compris ? Faites comme si vous ne saviez pas que le général avait déménagé, faites comme si vous veniez chez lui chercher votre femme, enfin, et ainsi de suite.

— Et après ?

— Après, vous pincez qui vous devez chez Bobinitsine ; zut, à la fin, ce que vous êtes cruchon…

— Mais vous, en quoi ça vous regarde, qui je pince ? Vous voyez, vous voyez !

— Quoi ? quoi, mon petit monsieur ? quoi ? toujours pareil ? ça recommence ? Ah, mon Dieu, mais mon Dieu ! Vous vous déshonorez, vous êtes un homme ridicule, un cruchon !

— Mais pourquoi ça vous intéresse tellement ? vous voulez savoir…

— Savoir quoi ? hein, quoi ? ah, mais, sacredieu, j'ai d'autres soucis que vous, maintenant ! J'y vais tout seul ; allez, partez ; faites le pied de grue, courez là-bas, zou !

— Cher monsieur, vous vous oubliez presque ! s'écria, au désespoir, le monsieur en raton.

— Et alors ? Et alors, si je m'oublie ? murmura le jeune homme, grinçant des dents et avançant, la rage au cœur, sur le monsieur en raton. Hein, et alors ? devant qui, je m'oublie ?! tonna-t-il, les poings serrés.

— Mais, mon cher monsieur, permettez…

— Hein, qui vous êtes, devant qui, je m'oublie ? Qu'est-ce que c'est, votre nom ?

— Je ne sais pas, comment, jeune homme ; pourquoi, mon nom ?… Je ne peux pas me déclarer… Je préfère y aller avec vous. Allons, je ne resterai pas en arrière, je suis prêt à tout… Mais, croyez-moi, je mérite des expressions plus distinguées ! Il ne faut jamais perdre sa présence d'esprit, et si quelque chose vous affecte – et je devine ce que c'est – au moins, il ne faut pas s'oublier… Vous êtes encore bien jeune, bien jeune !

— Qu'est-ce que ça me fait, que vous êtes vieux ? Un oiseau rare ! Allez-vous-en ; qu'est-ce que vous avez à me courir dans les pattes ?

— Comment ça, que je suis vieux ? Pourquoi ça je suis vieux ? Bien sûr, mon titre, mais, je ne cours pas…

— On voit. Mais fichez donc le camp…

— Non, non, je vous accompagne ; vous ne pouvez pas me l'interdire ; moi aussi, je suis mêlé ; je viens…

— Bon, alors, chut, alors, chut, silence !…

Ils montèrent tous les deux sur le perron, gravirent les escaliers jusqu'au deuxième étage ; il faisait un peu sombre.

— Stop ! Des allumettes, vous avez ?

— Des allumettes ? Quelles allumettes ?

— Vous fumez le cigare ?

— Ah, oui ! oui, oui, j'en ai ; les voilà, ici, les voilà ; tenez, attendez… (Le monsieur en raton s'agitait fort.)

— Mais quel cruchon… nom de ! C'est cette porte, je crois…

— Oui-oui-oui-oui-oui-oui…

— Oui-oui-oui… qu'est-ce qui vous prend, de brailler ? Silence !

— Mon cher monsieur, la main sur le cœur, je… vous êtes audacieux, vous, voilà !…

Une flamme jaillit.

— Bon, ce que je disais, la plaque de cuivre ! Bobinitsine, voilà ; vous voyez : Bobinitsine.

— Je vois, je vois !

— Ch… cht ! Quoi, c'est éteint ?

— Oui.

— Il faut frapper à la porte ?

— Oui, il faut ! répondit le monsieur en raton.

— Frappez !

— Non, mais, pourquoi moi ?… Vous, frappez, allez-y…

— Lâche !

— Lâche vous-même !

— Mais fichez-moi le camp, alors !…

— Je me repens presque de vous avoir confié mon secret ; vous…

— Moi ? Alors quoi, moi ?

— Vous profitez du trouble qui m'accable ! Vous voyez bien que j'ai l'esprit troublé…

— Je m'en fiche… Je ris ! Un point c'est tout !

— Qu'est-ce que vous faites ici ?

— Et vous ?…

— Belle moralité ! remarqua, indigné, le monsieur en raton…

— C'est vous qui me parlez de moralité ? Vous êtes bien, vous !

— Voilà, un immoral !

— Quoi ?!!

— Oui, d'après vous, les maris bafoués sont tous des bûches ?

— Parce que, c'est vous, le mari ? Le mari, il était au pont Voznessenski ? En quoi ça vous regarde, vous ? Pourquoi vous me collez ?

— Et moi, il me semble que, vous, vous êtes l'amant, voilà !

— Ecoutez, si vous continuez sur ce terrain-là, je finirai vraiment par croire que, la bûche, c'est vous, c'est-à-dire, vous savez qui ?

— C'est-à-dire, vous voulez dire que je suis le mari ! dit le monsieur en raton, qui recula, comme s'il avait été ébouillanté.

— Chch… ! Taisez-vous ! Vous entendez ?…

— C'est elle.

— Non !

— Oh ce qu'il fait noir !

Tout se tut ; on entendit du bruit dans l'appartement de Bobinitsine.

— Pourquoi nous disputer, mon cher monsieur ? murmura le monsieur en raton.

— C'est vous, sacredieu, qui prenez la mouche !

— Mais, vous m'avez fait sortir de mes derniers gonds !

— Taisez-vous !

— Accordez-moi que vous êtes encore très jeune…

— Taisez-vous donc !

— Bien sûr, je suis d'accord avec votre idée, qu'un mari, dans cette situation, c'est une bûche.

— Mais allez-vous vous taire ! ah mais !…

— Mais à quoi bon vous acharner aussi rageusement sur un mari infortuné ?...

— C'est elle !

Mais, pendant ce temps, le bruit s'était tu.

— C'est elle ?

— C'est elle ! c'est elle ! Elle ! Mais vous, oui, vous, qu'est-ce que vous avez donc à gigoter ici ? Ce malheur, là, ce n'est pas le vôtre !

— Mon bon monsieur ! mon bon monsieur ! murmura le monsieur en raton, qui pâlissait, des hoquets dans la voix. Bien sûr, je suis dans le trouble... vous n'avez que trop vu mon abaissement ; mais il fait nuit, maintenant, mais, demain... quoique, sans doute, nous ne nous verrons pas, demain, même si je ne crains pas de vous voir... quoique, ce n'est pas moi, c'est mon ami, qui est au pont Voznessenski ; non, non, c'est lui ! C'est sa femme à lui, c'est la femme d'un autre ! Infortuné ! Je vous assure. Je le connais très bien ; laissez-moi vous raconter. Je suis son ami, comme vous voyez, sinon, je ne serais pas aussi triste pour lui en ce moment – vous le voyez vous-même ; moi, je lui avais dit, et plusieurs fois : Pourquoi te maries-tu, mon bon ami ? tu as un titre, une fortune, tu es un homme respecté, à quoi bon changer tout cela pour les caprices de la coquetterie ! N'est-ce pas ? Non, je me marie, me dit-il : le bonheur familial... Je le retiens, son bonheur familial ! Avant, c'est lui qui trompait les maris, et, maintenant, il boit la coupe... vous m'excuserez, mais, cette explication, c'était une nécessité, obligatoire !... Il est infortuné, il boit la coupe, voilà ! (Ici, le monsieur fut soulevé d'un tel sanglot qu'on pouvait croire qu'il pleurait vraiment.)

— Mais que le diable les prenne, tous ! Ce n'est pas ce qui manque, les imbéciles ! Et vous, qui vous êtes ?

Le jeune homme grinçait des dents, de rage.

— Eh bien, après cela, accordez-moi… j'étais loyal et sincère avec vous… un ton pareil !

— Non, permettez, vous m'excuserez… comment vous vous appelez ?

— Comment ça, comment je m'appelle ?

— Ah !

— Je ne peux pas vous le dire, comment je m'appelle.

— Vous connaissez Chabrine ? dit, d'une voix précipitée, le jeune homme.

— Chabrine !!

— Oui, Chabrine !! Ah ! (Ici, le monsieur en redingote singea un peu le monsieur en raton.) Vous comprenez la chose ?

— Non, monsieur, comment – Chabrine ! répondit le monsieur en raton, complètement ahuri. Ce n'est pas du tout Chabrine ; Chabrine est un homme respectable ! J'excuse votre impolitesse par les souffrances de la jalousie.

— C'est un escroc, un traître, un vendu, un voleur, il a volé l'Etat ! Il se retrouvera bientôt devant un tribunal !

— Pardon, dit le monsieur en raton, qui pâlissait toujours, vous ne le connaissez pas ; il vous est complètement inconnu, je le vois bien.

— Non, sa tête, je ne l'ai jamais vue, mais je le sais, et de sources qui lui sont très proches.

— Mais de quelles sources, mon bon monsieur ? Je suis dans le trouble, vous voyez…

— Un imbécile ! Un jaloux ! Pas fichu de surveiller sa femme ! Voilà ce qu'il est, si vous voulez savoir !

— Pardon, vous êtes dans l'erreur la plus cruelle, jeune homme…

— Ah !!

— Ah !!

On entendit du bruit chez Bobinitsine. On commençait à ouvrir les portes. Des voix retentirent.

— Ah, ce n'est pas elle, non, non ! Je reconnais sa voix ; maintenant, je vois bien que ce n'est pas elle, dit le monsieur en raton, devenant blême comme un mort.

— Taisez-vous !

Le jeune homme se plaqua contre le mur.

— Mon bon monsieur, je cours ; ce n'est pas elle, je suis ravi.

— Eh bien ! Filez ! Filez !

— Et vous, pourquoi restez-vous donc ?

— Et vous, pourquoi ?

La porte s'ouvrit, et le monsieur en raton, n'y tenant plus, dégringola les escaliers.

Le jeune homme vit passer devant lui un homme et une femme, et son cœur se figea… Il entendit une voix de femme, qu'il connaissait, et une voix d'homme, enrouée, qu'il ne connaissait pas.

— Ce n'est rien, j'appelle un traîneau, disait la voix enrouée.

— Ah ! Mais fort bien, j'accepte, mais, faites…

— Il est là, je descends…

La dame resta seule.

— Glafira ! qu'as-tu fait de tes serments ? s'écria le jeune homme en redingote, saisissant la dame par le bras.

— Ah ! qu'est-ce que c'est ? vous, Tvorogov ? Mon Dieu ! Qu'est-ce que vous faites ?

— Avec qui étiez-vous ?

— Mais c'est mon mari, sortez, sortez, il va rentrer tout de suite… de chez les Polovitsine ; sortez, je vous en prie, sortez.

— Les Polovitsine ont déménagé depuis trois semaines ! Je sais tout !

— Ah !!…

La dame se précipita sur le palier. Le jeune homme la rattrapa.

— Qui vous a dit ? demanda-t-elle.

— Votre mari, madame, Ivan Andréevitch ; il est là, il est devant vous, madame…

Ivan Andréevitch était réellement sur le palier.

— Oh, c'est vous ? s'écria le monsieur en raton.

— *Ah ! c'est vous* * ? s'écria Glafira Petrovna, se jetant vers lui avec une joie non feinte, mon Dieu ! ce qui m'est arrivé ! J'étais chez les Polovitsine ; tu peux t'imaginer… Ils sont au pont Izmaïlovski, maintenant, tu sais ? je te l'avais dit, tu

* En français dans le texte. *(N.d.T.)*

31

te souviens ? C'est de là que j'ai commandé un traîneau. Les chevaux se sont emballés, ils sont partis au galop, ils ont cassé tout l'équipage, je suis tombée, à cent pas d'ici ; le cocher est en prison ; j'étais hors de moi. Par bonheur, *monsieur** Tvorogov...

— Quoi ?...

Monsieur Tvorogov ressemblait plus à une statue qu'à *monsieur* Tvorogov.

— *Monsieur* Tvorogov m'a vue ici, il a proposé de me raccompagner ; mais, maintenant, tu es là, et il ne me reste plus qu'à vous exprimer ma brûlante gratitude, Ivan Ilitch...

La dame tendit la main à la statue d'Ivan Ilitch et la pinça plutôt qu'elle ne la serra.

— *Monsieur* Tvorogov ! un ami ; nous avons eu le plaisir de nous voir au bal, chez les Skorloupov ; je t'avais dit, tu te souviens ? Comment, tu ne te souviens pas, Coco ?

— Ah, mais bien sûr ! si, si, je me souviens ! se mit à bafouiller le monsieur en pelisse de raton qui s'appelait Coco. Enchanté, enchanté.

Et il serra, avec chaleur, la main de *monsieur* Tvorogov.

— Avec qui es-tu ?... Qu'est-ce que ça veut dire ? J'attends..., fit la voix enrouée.

Un monsieur d'une taille interminable se tenait devant le groupe ; il avait sorti son lorgnon et regardait attentivement le monsieur en pelisse de raton.

— Ah, monsieur Bobinitsine, se mit à piailler

* En français dans le texte. *(N.d.T.)*

la dame. Quel bon vent ? En voilà une rencontre ! Imaginez, les chevaux ont failli me tuer… mais voilà mon mari ! *Jean ! Monsieur* Bobinitsine, au bal chez les Karpov…

— Ah, enchanté, réellement enchanté !… Mais je commande un fiacre tout de suite, mon amie.

— Je t'en prie, *Jean*, je t'en prie ; je suis toute retournée ; je tremble ; même, je me sens mal… Ce soir, au bal masqué, chuchota-t-elle à Tvorogov… Adieu, adieu, *monsieur* Bobinitsine ! Nous nous verrons demain, sans doute, au bal chez les Karpov…

— Non, pardon, demain, je n'y serai pas ; demain, enfin, je, si c'est comme ça… *Monsieur* Bobinitsine marmonna encore quelque chose dans sa barbe, racla le sol avec sa botte énorme, retourna vers son traîneau et repartit.

Le fiacre survint ; la dame s'y installa. Le monsieur en pelisse de raton s'arrêta ; il paraissait ne plus avoir la force de faire un mouvement, et il posait sur le monsieur en redingote un regard absurde. Le monsieur en redingote souriait d'une façon assez peu spirituelle.

— Je ne sais pas…

— Excusez-moi, enchanté de vous avoir connu, répondit le jeune homme, en saluant avec curiosité et une timidité certaine.

— Enchanté, vraiment…

— Votre botte, je crois, elle tombe un peu…

— Moi ? Ah, mais oui ! merci, merci beaucoup ; je pense toujours à m'acheter des caoutchoucs…

— Les caoutchoucs, enfin, à l'intérieur, le pied, il sue, dit le jeune homme avec, visiblement, une infinie compassion.

— *Jean !* Mais, viens-tu ?

— Oui, oui, le pied sue. J'arrive, j'arrive, mon petit cœur, quelle conversation intéressante ! C'est juste, comme vous voulez bien me le faire remarquer, le pied sue... Mais, pardon, je...

— Je vous en prie...

— Enchanté, mais vraiment enchanté d'avoir fait votre connaissance...

Le monsieur en raton monta dans le fiacre ; le fiacre s'ébranla ; le jeune homme resta encore longtemps figé sur place, sidéré, à le regarder partir.

II

Dès le soir suivant, on donnait un spectacle, je ne sais plus lequel, à l'Opéra italien. Ivan Andrée-vitch se précipita dans la salle comme une bombe. On ne lui avait encore jamais connu une telle *furore*, une telle passion pour la musique. Certes, on savait cela positivement, Ivan Andréevitch aimait plus qu'on ne peut le dire ronfloter une petite heure ou deux aux Italiens ; il avait même confié à plusieurs occasions que la chose était plaisante et douce. "Même la prima donna, n'est-ce pas, disait-il à ses amis, qui te miaule à l'oreille, comme une petite chatte blanche, une jolie berceuse." Mais, cela, il le disait voilà une bonne éternité, au cours de la saison dernière ; à présent, las ! même chez lui, la nuit, Ivan Andréevitch ne dormait plus. Or, malgré tout, il se précipita comme une bombe dans une salle pleine à craquer. Même l'ouvreur lui jeta une sorte de regard soupçonneux, et lorgna tout de suite vers sa poche latérale, dans l'espoir avéré d'y entrevoir le manche d'un poignard qui s'y serait, sait-on jamais, dissimulé. Il faut dire qu'à l'époque deux partis se trouvaient au sommet de la gloire, chacun ayant sa prima donna. Les uns s'appelaient les ***zistes et les autres les ***nistes. Les deux partis aimaient à ce point la musique que les ouvreurs se mirent à craindre résolument quelque expression trop résolue de leur amour du beau et du sublime dont ces deux prima donna étaient l'incarnation. Voilà pourquoi, en présence de cette fougue adolescente dans une salle de théâtre de la part d'un vieil homme qui avait même les cheveux blancs, quoique, d'ailleurs, pas entièrement tout blancs, d'un homme, comme ça, autour du demi-siècle, et pas très remplumé, disons, de cet homme à l'allure, enfin, de grand monsieur, l'ouvreur se souvint malgré lui de ces hautes paroles de Hamlet, prince de Danemark :

> *Quand même la vieillesse a chu si bas,*
> *Que fera la jeunesse ?* etc.

et, comme nous le dîmes plus haut, jeta un œil vers la poche latérale du frac, afin d'y déceler un coutelas. Mais cette poche ne contenait qu'un portefeuille, rien d'autre.

Précipité dans le théâtre, Ivan Andréevitch fit voler son regard, avec la même précipitation, dans toutes les loges des deuxièmes balcons, et – ô horreur ! il eut le cœur figé ! elle était là ! elle siégeait dans une loge ! Il y avait là aussi le général Polovitsine et son épouse, avec sa jeune parente ; il y avait aussi l'aide de camp du général – jeune homme fort entreprenant ; il y avait là encore un civil… Ivan Andréevitch tendit toute son attention, toute l'acuité de son regard, mais – ô horreur ! le civil se cacha traîtreusement derrière l'aide de camp et demeura ainsi dans les ténèbres de l'inconnu.

Elle était là ; pourtant, elle avait dit qu'elle ne serait pas là.

Cette duplicité, qui, depuis un certain temps, se révélait dans le moindre geste de Glafira Petrovna, mettait au supplice Ivan Andréevitch. Mais ce fut ce jeune homme en civil qui le plongea dans le désespoir le plus total. Il s'affaissa dans son fauteuil, complètement foudroyé. Pourquoi, me direz-vous ? La circonstance était fort simple...

Il faut observer que le fauteuil d'Ivan Andréevitch se trouvait disposé juste à côté d'une baignoire et qu'en outre, la loge traîtreuse des deuxièmes balcons se trouvait, elle, juste au-dessus de son fauteuil, de telle sorte qu'à son désagrément le plus terrible, il ne pouvait absolument rien voir de ce qui se tramait au-dessus de son chef. Par contre, il enrageait et il bouillait comme un samovar. Tout le premier acte se passa sans qu'il remarquât rien, c'est-à-dire qu'il n'entendit pas la moindre note. On dit que la musique a cela de bien qu'on peut accorder les impressions musicales à toutes nos sensations. Un homme joyeux trouvera de la joie dans les accords – un homme triste, de la tristesse ; une tempête entière pleurait dans les oreilles d'Ivan Andréevitch. Pour couronner son dépit, derrière lui, devant, sur ses côtés, criaient des voix si effrayantes qu'Ivan Andréevitch avait le cœur qui se brisait. L'acte s'acheva enfin. Pourtant, à la minute où le rideau tombait, notre héros dut affronter une aventure telle qu'aucune plume ne pourrait la décrire.

Il arrive qu'une affichette choie des balcons les plus hauts. Quand la pièce est ennuyeuse et que les spectateurs sont pris de bâillements, cela leur fait toute une aventure. C'est avec une passion extrême qu'ils suivent le vol de ce papier juste moins léger que l'air depuis le balcon le plus haut, et ils trouvent plaisir à contempler son voyage en zigzags jusqu'aux fauteuils du parterre, où l'affichette ne manque jamais de se coucher sur telle ou telle tête absolument impréparée à cette circonstance. En vérité, il est curieux de voir la façon dont cette tête se met à rougir (parce qu'elle rougit à tous les coups). De même ai-je toujours peur pour les jumelles des dames, lesquelles reposent souvent sur les bordures mêmes des loges : j'ai toujours l'impression qu'elles aussi vont, d'un instant à l'autre, dégringoler sur telle ou telle tête absolument impréparée à cette circonstance. Mais je vois que j'ai eu tort de faire une note aussi tragique et c'est pourquoi je la renvoie aux feuilletons de ces journaux qui vous mettent en garde contre les escroqueries, la malhonnêteté, les cancrelats (si vous avez des cancrelats chez vous) en vous recommandant le célèbre Italien Principe, ennemi mortel et adversaire de tous les cancrelats du monde, non seulement les russes mais même les étrangers, tels que les cancrelats prussiens et autres.

Non, il advint à Ivan Andréevitch une aventure encore décrite nulle part. Il reçut sur la tête – en bonne voie de dégarniture, comme nous l'avons déjà dit – bien autre chose qu'une affichette. J'avoue que j'ai honte de dire ce qu'il reçut sur le crâne, parce que, réellement, il est un peu honteux de dire que le chef respectable et dénudé – car en partie privé de ses cheveux – de l'homme jaloux et excédé qu'était Ivan Andréevitch fut le terrain de chute d'un objet aussi peu moral, par exemple, qu'un billet doux tout parfumé. Du moins l'infortuné Ivan Andréevitch, absolument impréparé à cette circonstance aussi scandaleuse qu'imprévue, en fut-il pris d'un soubresaut si fort qu'on pouvait croire qu'il avait attrapé sur son chef une souris, voire quelque autre bête sauvage.

Ce billet-là avait un contenu fort doux, la chose était indubitable. Il était écrit sur du papier parfumé, exactement comme sont écrits les billets doux dans les romans, et était plié sous une forme traîtreusement petite, en sorte de pouvoir être caché dans un gant féminin. Il était tombé, sans doute, par hasard, au moment où il était transmis : on avait demandé, par exemple, une affichette, le billet se trouvait sournoisement glissé dans l'affichette, on le donnait déjà dans les mains qu'on savait, mais, un instant, peut-être, d'inattention, un geste brusque de l'aide de camp, qui s'excusait de sa maladresse avec une adresse toute particulière – et le billet glissait de la jolie main tremblante de confusion, tandis que le jeune civil, lequel, déjà, tendait sa main impatiente, recevait soudain, à la place du billet, rien que la seule affichette, avec laquelle il ne savait résolument que faire. Circonstance étrange, déplaisante ! vérité toute nue ; mais accordez qu'Ivan Andréevitch était; lui, dans une situation encore plus déplaisante.

— *Prédestiné**, murmura-t-il, inondé d'une sueur glacée, serrant le billet entre ses doigts, *prédestiné !* La balle trouvera le coupable, pensa-t-il – cette pensée fusant dans son esprit. – Mais non, non ! En quoi est-ce ma faute ! C'est un autre proverbe, plutôt : un malheur ne vient jamais… et ainsi de suite.

Mais Dieu seul sait ce qui peut résonner dans un chef ahuri par une aventure si imprévue ! Ivan Andréevitch restait ce qui s'appelle pétrifié dans son fauteuil, plus mort que vif. Il était persuadé que son aventure avait été visible de partout, même si, à cet instant, un brouhaha se levait dans la salle et qu'on rappelait la cantatrice. Il était si gêné, il rougissait si fort qu'il n'osait plus lever les yeux, comme s'il venait de lui arriver je ne sais quel désagrément imprévu, un genre de – comment dire ? – dissonance dans une assemblée aussi splendide que nombreuse. Il se décida enfin à relever les yeux.

— Une voix bien agréable, n'est-ce pas ! fit-il observer à un dandy assis sur son flanc gauche.

Le dandy, déjà au dernier degré de l'enthousiasme et applaudissant à tout rompre, en écrasant, de préférence, les pieds de ses voisins, jeta sur Ivan Andréevitch un regard distrait et rapide et, tout de

* En français dans le texte. *(N.d.T.)*

suite, formant avec ses mains une sorte de petit bouclier au-dessus de sa bouche, pour qu'on l'entendît encore plus, hurla le nom de la cantatrice. Ivan Andréevitch, qui n'avait jamais vu gosier pareil, se retrouvait aux anges : "Rien remarqué !" se dit-il et il se retourna. Mais le gros monsieur derrière lui lui montrait à son tour le dos et dirigeait son lorgnon vers les loges. "Ça aussi, ça va !" pensa Ivan Andréevitch. Devant, bien sûr, personne n'avait rien vu. Timidement, une douce espérance au cœur, il se tourna vers la baignoire près de laquelle se trouvait son fauteuil, et là, il tressaillit sous l'effet d'une sensation très déplaisante. Il découvrit une très belle dame qui, se cachant la bouche avec son mouchoir, renversée sur le dossier de son fauteuil, poussait de grands éclats de rire.

— Ces femmes ! marmonna Ivan Andréevitch et, de pied de spectateur en pied de spectateur, il se dirigea vers la sortie.

A présent, je laisse à mes lecteurs le soin de décider, je leur demande de réfléchir eux-mêmes avec Ivan Andréevitch. Avait-il réellement raison à cet instant ? Le Théâtre Bolchoï*, on le sait, comprend quatre rangées de balcons, plus une cinquième – le poulailler. Pourquoi supposer absolument que ce billet était tombé, à coup sûr, d'une certaine loge, et précisément de cette loge certaine, et pas d'une autre loge quelconque – par exemple, du poulailler, où, là aussi, il y a des dames ? Mais la passion

* Théâtre de Petersbourg détruit en 1892. *(N.d.T.)*

est exclusive, et la jalousie – la plus exclusive des passions de ce monde.

Ivan Andréevitch courut jusqu'au foyer, se mit sous une lampe, décacheta et lut :

"Ce soir, tout de suite après le spectacle, rue G., angle de la ruelle ***, dans l'immeuble de K., deuxième étage, à droite de l'escalier. Entrée sous la porte cochère. Viens, *sans faute*, je t'en supplie."

L'écriture, Ivan Andréevitch ne la reconnut point, mais – pas de doute : un rendez-vous était fixé. "Piéger, saisir, et tuer le mal dans l'œuf" – telle fut la première idée d'Ivan Andréevitch. Il lui vint à l'esprit de démasquer tout de suite, là, sur-le-champ, séance tenante ; oui, mais comment ? Ivan Andréevitch avait même déjà bondi jusqu'aux deuxièmes balcons, quand, non sans quelque bon sens, il battit en retraite. Il ne savait plus rien, résolument : où donc courir ? Par désœuvrement, il courut de l'autre côté, et regarda en face par la porte ouverte d'une loge inconnue. Mais si, mais si ! dans tous les cinq balcons, en prenant la verticale, il y avait des jeunes dames et des jeunes messieurs. Le billet avait pu tomber des cinq balcons en même temps, et c'est pourquoi Ivan Andréevitch soupçonna les cinq balcons de comploter contre lui. Mais rien ne put l'amender, pas la moindre évidence. Tout le long de l'acte II, il courut de couloir en couloir, et nulle part il ne trouva le repos de l'esprit. Il se précipita à la caisse du théâtre, dans l'espoir d'apprendre du caissier le nom de tous les gens qui occupaient les loges des quatre premiers étages, mais la caisse était déjà fermée. Enfin, des exclamations frénétiques et des applaudissements s'élevèrent. La représentation était finie. Commençaient les rappels, et deux voix, dans les hauteurs, tonnaient avec une force particulière – les chefs des deux partis. Mais Ivan Andréevitch s'en fichait complètement. L'idée de sa conduite ultérieure venait de fuser dans son esprit. Il enfila sa redingote et courut jusqu'à la rue G., pour retrouver, piéger et démasquer, et, d'une manière générale, agir avec une décision plus grande qu'il ne l'avait fait la veille. Il eut tôt fait de trouver la maison, entrait déjà sous la porte cochère quand, brusquement, comme si elle passait juste entre ses doigts, il vit filer la silhouette d'un dandy en manteau, laquelle silhouette le dépassa et s'élança, dans l'escalier, jusqu'au deuxième. Ivan Andréevitch eut l'impression que c'était son dandy, même si, et déjà toute l'heure, il n'avait pas trop vu la tête de ce dandy. Son cœur se figea. Le dandy le dépassait déjà d'un étage. A la fin, il entendit une porte qui s'ouvrait au deuxième, et qui s'ouvrait sans sonnette, comme si l'on attendait. Le jeune homme se faufila dans l'appartement. Ivan Andréevitch atteignit le palier avant qu'on n'eût le temps de fermer la porte. Il s'apprêtait, lui, à rester devant cette porte, à réfléchir, en toute intelligence, à sa conduite, à craindre légèrement, puis, enfin, à se résoudre à quelque chose de vraiment résolu ; pourtant, au même instant, un équipage tonna devant la porte cochère, les portes s'ouvrirent à grand bruit, et des pas, avec une toux et bien des geignements, annoncèrent leur venue jusqu'aux étages supérieurs. Ivan Andréevitch n'y tint plus, il ouvrit cette porte et se retrouva dans l'appartement, avec toute la solennité d'un mari bafoué. La bonne, émotionnée, se jeta à sa rencontre, suivie d'un serviteur ; mais il n'y avait plus aucun moyen d'arrêter Ivan Andréevitch. C'est telle une bombe qu'il vola jusqu'aux chambres, et, traversant deux pièces obscures, se retrouva soudain, dans une chambre à coucher, devant une jeune et fort belle dame, qui, toute frissonnante de peur, le considérait avec, résolument, de l'épouvante, comme si elle ne comprenait rien à ce qui se passait autour d'elle. A cette minute précise, les pas lourds résonnèrent dans la pièce voisine – et ces pas se dirigeaient tout droit vers la chambre à coucher : c'étaient bien les mêmes pas qui venaient de gravir les marches.

— Ciel ! mon mari ! s'exclama cette dame, levant les bras au plafond et devenant plus blanche que son peignoir.

Ivan Andréevitch sentit qu'il avait fait erreur, qu'il avait fait une gaminerie, une gaminerie imbécile, qu'il n'avait pas suffisamment pensé à sa conduite, n'avait pas craint assez longtemps sur le palier. Mais il n'y avait plus rien à faire. La porte s'ouvrait déjà, déjà le lourd mari (à en juger par sa démarche lourde) pénétrait dans la chambre... J'ignore pour qui se prit Ivan Andréevitch à cette seconde précise ! j'ignore ce qui l'empêcha de se dresser face au mari, de déclarer qu'il était mal tombé, d'avouer qu'il venait d'agir là, d'une façon inconsciente, avec la plus grande des impolitesses, lui demander pardon, et disparaître – et s'en aller, pas honorablement, bien sûr, ni très glorieusement, mais d'une façon droite et sincère. Mais non, Ivan Andréevitch agit, une fois encore, comme un gamin, comme s'il se prenait, lui, pour un don Juan ou pour un Lovelace ! Il commença par se cacher dans les rideaux du lit, puis, quand il se sentit complètement choir sur le plan moral, il chut physiquement et se mit, geste absurde, à ramper sous le lit. L'effroi eut sur lui un effet plus profond que la raison, et Ivan Andréevitch, lui-même un époux bafoué, ou, en tout cas, s'estimant tel, ne supporta pas la rencontre d'un autre mari – craignant, peut-être, de l'offenser par sa présence. Toujours est-il qu'il se retrouva sous le lit, résolument incapable de comprendre comment cela s'était produit. Mais, plus surprenant que tout, la dame n'avait pas opposé la moindre résistance. Elle n'avait pas crié de voir qu'un monsieur d'âge mûr absolument étrange cherchait refuge dans son alcôve. Résolument, elle était si terrorisée que, selon toute vraisemblance, elle en avait perdu l'usage de la parole.

L'époux entra, geignant et gémissant, salua son épouse d'une voix chantante, à la manière des vieux, et s'affaissa dans le fauteuil en sorte qu'on pouvait croire qu'il apportait un fagot de bois sec. On entendit une toux sourde et prolongée. Ivan Andréevitch, qui, de tigre enragé, s'était transformé en agneau, plein de crainte et de doute comme le souriceau devant le chat, osait à peine respirer, pris qu'il était d'effroi, encore qu'il eût pu savoir, par sa propre expérience, que tous les époux bafoués ne mordent point. Mais cette idée ne lui vint pas, soit manque d'imagination, soit suite à quelque état de choc d'une autre espèce. Prudemment, doucement, à tâtons, il commença à se disposer sous le lit, dans le but, enfin, de s'allonger d'une manière plus confortable. Quelle ne fut pas sa stupeur lorsque sa main palpa un objet qui, à sa stupeur la plus totale, bougea soudain et, à son tour, lui prit la main ! Il y avait un autre homme sous le lit…

— Qui va là ? chuchota Ivan Andréevitch.

— Et je vais vous dire mon nom, en plus ! souffla en retour l'étranger inconnu. Taisez-vous sans bouger, si vous vous êtes fait prendre !

— Mais…

— Taisez-vous !

Et l'étranger (car, sous le lit, une seule personne faisait déjà surnombre), l'étranger, donc, serra dans son poing la main d'Ivan Andréevitch, et la serra si fort que celui-ci faillit en crier de douleur.

— Monsieur…

— Chut !

— Alors, ne serrez pas, sinon, je crie.

— Allez, criez un peu, pour voir !

Ivan Andréevitch rougit de honte. L'inconnu était méchant, et de méchante humeur. Peut-être avait-il essuyé plus d'une fois l'acharnement du sort, et s'était-il souvent trouvé sous sa contrainte ; mais, de ce point de vue, Ivan Andréevitch n'était encore qu'un Marie-Louise, et, contraint comme il l'était, il étouffait. Le sang lui battait dans le crâne. Pourtant, il n'y avait rien à faire ; il lui fallait rester prostré. Ivan Andréevitch se soumit et se tut.

— Mon petit cœur, je, commença le mari, mon petit cœur, je suis allé chez Pavel Ivanytch. On s'installe pour le stoss, et là, kc'hi-kc'hi-kc'hi ! (il s'était mis à tousser) mais là, kc'hi ! le dos !… kc'hi ! ah quel !… kc'hi-kc'hi-kc'hi !

Et le petit vieux s'enfonça dans sa toux.

— Le dos…, articula-t-il enfin, les larmes aux yeux, le dos qui me brûle… maudites hémorroïdes ! Ni se lever ni s'asseoir ! Akc'hi-kc'hi-kc'hi !…

Il semblait que la toux qui recommençait dût vivre bien plus vieille que le petit vieux, propriétaire de cette toux. La langue du petit vieux grognait Dieu savait quoi dans les intervalles, mais on ne pouvait résolument rien y comprendre.

— Mon bon monsieur, au nom du ciel, poussez-vous un petit peu ! chuchota le malheureux Ivan Andréevitch.

— Et où ? Il n'y a pas de place.

— Pourtant, accordez-le, je ne peux pas, comme ça. C'est juste la première fois que je me retrouve dans une situation si contraignante.

— Et moi, dans un voisinage si déplaisant.

— Pourtant, jeune homme…

— Taisez-vous !

— Taisez-vous ? Pourtant, votre conduite est cavalière, jeune homme… Si je ne me trompe, vous êtes encore très jeune ; je suis plus âgé que vous.

— Taisez-vous !

— Monsieur, vous vous oubliez ; vous ne savez pas à qui vous parlez !

— A un monsieur qui est sous un lit.

— Mais je m'y retrouve par suite d'une surprise… d'une erreur, et vous, si je ne m'abuse, c'est l'immoralité.

— C'est là que vous vous abusez.

— Monsieur, je suis plus âgé que vous, je vous dis…

— Monsieur, sachez que nous sommes dans le même pétrin. Je vous le demande, ne me tenez pas par la figure !

— Monsieur, je n'y vois rien. Excusez-moi, mais ça manque de place.

— Alors pourquoi êtes-vous si gros ?

— Jésus ! jamais je n'ai été dans une situation plus humiliante.

— Oui, pas moyen de tomber plus bas.

— Monsieur, monsieur ! je ne sais pas qui vous êtes, je ne comprends pas comment ça s'est produit ; mais je suis là par erreur ; je ne suis pas ce que vous pensez…

— Je ne penserais rien si vous ne me poussiez pas. Taisez-vous donc.

— Mon bon monsieur, si vous ne vous poussez pas, je vais avoir une attaque. Vous aurez à répondre de mon trépas. Je vous assure… Je suis un homme respectable, je suis père de famille. Non, je ne peux pas me trouver dans cette situation !

— C'est vous qui vous y êtes fourré, dans cette situation. Allez, tenez, voilà un peu de place. Pas moyen de faire plus.

— Magnanime jeune homme ! Mon bon monsieur ! je vois que je me trompais sur votre compte, dit Ivan Andréevitch dans l'enthousiasme de la reconnaissance et tout en détendant ses muscles ankylosés, je comprends la position contrainte qui est la vôtre, mais, que faire ? je vois que vous avez une fausse opinion de moi. Permettez-moi de rehausser ma réputation, permettez-moi de vous dire qui je suis – je suis venu ici à mon corps défendant, je vous assure ; et pas pour ce à quoi vous pensez… Je suis dans l'effroi le plus terrible.

— Mais allez-vous vous taire ? vous comprenez que s'ils nous entendent, ça ira mal ? Chut… Il parle. (De fait, la toux du vieillard, visiblement, commençait à passer.)

— Et donc, mon petit cœur, disait-il, râlant sur l'air d'un refrain des plus élégiaques, donc, mon petit cœur, kc'hi !… kc'hi ! Malédiction ! Fédosseï Ivanovitch, donc, qui me dit : Dites donc, il me dit, vous avez essayé de boire de la mille-feuille ? Tu entends, mon petit cœur ?

— J'entends, mon ami.

— Alors, donc, il me dit : Vous devriez, il me dit, essayez de boire de la mille-feuille. Moi, je lui dis : J'ai déjà mis des sangsues. Et lui, non, Alexandre Démianovitch, la mille-feuille, c'est mieux : elle ouvre, je vous dirais… kc'hi ! kc'hi ! oh, mon Dieu ! qu'est-ce que tu en penses, mon petit cœur ? kc'hi-kc'hi ! ah, Jésus-Marie ! kc'hi-kc'hi !… Alors, plutôt la mille-feuille, tu crois ?… kc'hi-kc'hi-kc'hi ! oh ! kc'hi ! (Etc.)

— Je pense que ça ne peut pas faire de mal d'essayer ce remède, répondait son épouse.

— Voilà, pas de mal ! Ce que vous avez, il me dit, peut-être bien, c'est de la phtisie, kc'hi-kc'hi ! Et moi, je lui dis : La goutte, et puis, la digestion… kc'hi-kc'hi ! Et lui, peut-être, oui, et en plus la phtisie. Qu'est-ce que, kc'hi-kc'hi ! tu en penses, mon petit cœur : la phtisie ?

— Ah, mon Dieu, mais que me chantez-vous là !

— Oui, la phtisie ! Tu devrais te déshabiller, mon petit cœur, et puis te mettre au lit, kc'hi ! kc'hi ! Moi, aujourd'hui, kc'hi, j'ai un rhume.

— Fff ! fit Ivan Andréevitch. Au nom du ciel, poussez-vous !

— Résolument, vous m'étonnez, qu'est-ce qui vous arrive, enfin, vous ne pouvez pas rester tranquille ?…

— Vous m'en voulez très fort, jeune homme ; vous cherchez à me blesser. Je le vois bien. Vous êtes sans doute l'amant de cette dame ?

— Taisez-vous !

— Non, je ne me tairai pas ! je ne vous laisserai pas me commander ! C'est vous, hein, sans doute, le galant ? Si on nous trouve, moi, je n'ai rien fait, je ne sais rien.

— Si vous ne vous taisez pas, dit le jeune homme en grinçant des dents, je dirai que c'est vous qui m'avez entraîné ; je dirai que vous êtes mon oncle, que vous avez dilapidé toute votre fortune. Comme ça, au moins, on ne pensera pas que je suis l'amant de cette dame.

— Mon bon monsieur, vous vous moquez de moi. Vous mettez ma patience à bout.

— Chut ! ou je vous fais taire de force ! Vous êtes ma malédiction ! Non mais, c'est vrai, qu'est-ce que vous faites ici ? Moi, sans vous, j'aurais passé la nuit sous le lit, et puis, bon, je serais sorti.

— Mais moi, je ne peux pas passer la nuit ici ; je suis quelqu'un de raisonnable ; j'ai, vous comprenez, des relations… Vous pensez quoi, il va vraiment passer la nuit ?

— Qui ça ?

— Mais le vieux…

— Bien sûr que oui. Tous les maris ne sont pas comme vous. Ils passent aussi la nuit chez eux.

— Mon bon monsieur ! Mon bon monsieur ! s'écria Ivan Andréevitch, glacé d'effroi. Je vous assure que, moi aussi, je suis chez moi, là, c'est la première fois ; mais, mon Dieu, je vois que vous me connaissez. Qui êtes-vous donc, jeune homme ? Dites-le-moi tout de suite, je vous en supplie, dites-le, oui, par pure amitié, qui êtes-vous donc ?

— Ecoutez, je vais employer la force…

— Mais laissez-moi, mais laissez-moi vous dire, mon bon monsieur, laissez-moi vous expliquer toute cette sale affaire…

— Je n'écoute aucune explication ! Je ne veux pas vous connaître. Taisez-vous, ou bien…

— Mais je ne peux quand même pas…

Une brève lutte s'ensuivit sous le lit, et Ivan Andréevitch se tut.

— Mon petit cœur ! on dirait qu'il y a des chats, par ici, ils chuchotent, on dirait…

— Des chats ? Qu'allez-vous encore inventer ?

— Oui, des chats, mon petit cœur. Je rentre, tout à l'heure, je trouve Minet dans le bureau, ch-ch-ch, il fait comme ça. Moi, je lui dis, qu'est-ce qui t'arrive, Chouchouminet ? Et lui, encore : ch-ch-ch ! Toujours à chuchoter, on pourrait croire. Moi, je me dis : Jésus ! et si c'était ma mort qu'il me chuchotait comme ça ?

— Quelles bêtises vous dites aujourd'hui ! Vous devriez rougir, voyons.

— Bon, ce n'est rien ; ne te fâche pas, mon petit cœur ; je vois que tu seras triste si je meurs, ne te fâche pas ; je dis juste ça comme ça. Mais tu devrais te déshabiller, mon petit cœur, et te mettre au lit, et moi, je resterais là le temps que tu te couches.

— Au nom du ciel, assez ; plus tard…

— Bon, ne te fâche pas, ne te fâche pas ! Mais, tu sais, vraiment, il y a comme des souris, dans le coin.

— Voilà, des chats, et après, des souris ! Vraiment, je ne sais pas ce qui vous prend.

— Oh, non, je… rien, je… kc'hi ! rien du tout, je kc'hi-kc'hi-kc'hi-kc'hi ! Ah mais, Seigneur Jésus ! kc'hi !

— Vous entendez ? vous vous agitez tellement que, même lui, il entend, chuchota le jeune homme.

— Mais si vous saviez ce qui m'arrive. Je saigne du nez.

— Saignez et taisez-vous ; attendez qu'il reparte.

— Jeune homme, mettez-vous à ma place ; comprenez que j'ignore avec qui je suis couché.

— Ça vous aidera, ou quoi, de le savoir ? Moi, votre nom ne m'intéresse pas. Alors, comment vous appelez-vous ?

— Oh, le nom ne sert à rien, bien sûr… Je suis simplement porté à vous dire de quelle façon absurde…

— Chut, il se remet à parler.

— Je te jure, mon petit cœur, ça chuchote.

— Mais non ; le coton est mal mis dans tes oreilles.

— Tiens, à propos de coton. Tu sais, ici, là-haut… kc'hi-kc'hi ! Là-haut, kc'hi-kc'hi-kc'hi ! – etc.

— Là-haut ! murmura le jeune homme. Ah, diable ! Moi qui pensais que c'était le dernier étage ; mais, nous sommes bien au premier ?

— Jeune homme, murmura, se réveillant, Ivan Andréevitch, qu'est-ce que vous dites ? Au nom du ciel, pourquoi est-ce que ça vous intéresse ? Moi aussi, je croyais que c'était le dernier étage. Au nom du ciel, il y a donc encore un autre étage ?

— Je te jure, il y a quelque chose qui gigote, dit le vieillard qui avait enfin cessé de tousser.

— Chut ! vous entendez ? chuchota le jeune homme, serrant les deux mains d'Ivan Andréevitch.

— Mon cher monsieur, vous me tenez les deux mains dans un carcan. Lâchez-moi.

— Chut…

Une courte lutte s'ensuivit, à l'issue de laquelle le silence revint.

— Et donc, je croise la jolie petite…, commença le vieillard.

— Comment la jolie petite ? l'interrompit sa femme.

— Mais si… je t'avais bien dit que j'avais croisé une jolie petite dame dans l'escalier, ou bien j'ai oublié ? J'ai la mémoire, un peu, qui flanche. C'est le mille-pertuis… kc'hi !

— Quoi ?

— Le mille-pertuis qu'il faut que je prenne ; il paraît que ça aide… kc'hi-kc'hi-kc'hi !… ça aide…

— Vous l'avez interrompu, marmonna le jeune homme, grinçant à nouveau de toutes ses dents.

— Tu disais que tu avais croisé aujourd'hui la jolie petite dame ? demanda l'épouse.

— Hein ?

— La petite dame, que tu as croisée ?

— Qui ça ?

— Mais toi !

— Moi ? Quand ça ! Ah, bah oui !…

— Enfin ! quelle momie ! Allez ! chuchota le jeune homme, poussant mentalement le vieillard oublieux.

— Mon cher monsieur, je frissonne d'effroi. Mon Dieu ! Qu'entends-je ? C'est comme hier ! Résolument, oui, la même chose !…

— Chut.

— Oui, oui, oui ! je me souviens – la coquine !… Les jolis yeux, comme ça… et le petit béret bleu…

— Le petit chapeau bleu ? Aïe ! Aïe !

— C'est elle ! Elle a un petit béret bleu. Seigneur ! s'écria Ivan Andréevitch.

— Elle ? Qui ça, elle ? murmura le jeune homme, serrant les mains d'Ivan Andréevitch.

— Chut ! fit à son tour Ivan Andréevitch. Il parle.

— Ah, mon Dieu ! mon Dieu !

— Mais, enfin, tout le monde en a, des petits bérets bleus… quoi !

— Et quelle coquine ! poursuivait le vieillard. Elle vient ici rencontrer des amis. Toujours à faire les yeux doux. Et ces amis aussi, ils reçoivent des amis…

— Fff, comme c'est lassant, l'interrompit la dame, voyons, à quoi est-ce que tu t'intéresses ?

— Mais, bon, bon, ne te fâche pas ! répliqua le petit vieux en chantonnant. Bon, je ne dirai plus rien, si tu ne veux pas. Tu m'as l'air contrariée, ce soir…

— Ah, vous voyez, vous voyez ! Maintenant, ça vous intéresse, et, avant, vous ne vouliez même pas que je dise un mot !

— Ah, mais, ça m'est égal ! ne dites rien, je vous en prie ! Ah, sacredieu, quelle histoire !

— Jeune homme, ne vous fâchez pas ; je ne sais pas ce que je dis ; c'était juste comme ça ; je voulais juste dire qu'il y avait quelque chose de sérieux là-dedans, si ça vous touche à ce point… Mais qui êtes-vous, jeune homme ? Je vois que vous êtes un inconnu ; mais qui êtes-vous, inconnu ? Mon Dieu, je ne sais plus ce que je dis !

— Eh, laissez, je vous le demande ! l'interrompit le jeune, qui semblait réfléchir à quelque
chose.

— Mais je vais tout vous raconter, oui, tout. Vous
pensez peut-être que je ne vous dirai rien, que je
vous en veux, non ! voilà ma main ! J'ai juste
l'esprit troublé, c'est tout. Mais, au nom du ciel,
dites-le-moi d'abord, qui êtes-vous, vous-même ?
par quelle circonstance ? Quant à moi, je ne vous
en veux pas, je vous jure, je ne vous en veux pas,
tenez, ma main. Seulement, c'est poussiéreux, ici ;
je l'ai légèrement salie ; mais ce n'est rien pour la
noblesse du cœur.

— Eh, mais laissez-moi, avec votre main ! Il
n'y a pas de place pour se retourner, et lui – sa
main !

— Mais, mon cher monsieur ! vous me traitez
comme si j'étais, pardon pour l'expression, une
vieille chaussette, marmonna Ivan Andréevitch,
dans une crise d'humble désespoir, d'une voix qui
trahissait une supplication. Traitez-moi avec plus
de respect, un petit peu plus de respect, je vous
dirai tout ! Nous pourrions nous trouver sympa-
thiques. Je suis même prêt à vous recevoir à dîner.
On ne peut pas rester couchés ensemble comme
ça, je vous le dis tout net. Vous vous trompez, jeune
homme ! Vous ne savez pas…

— Quand donc l'a-t-il croisée ? balbutiait le
jeune homme, en proie, visiblement, à l'émotion
la plus profonde. Elle est peut-être en train de
m'attendre… Non, résolument, je sors d'ici !

— Elle ? qui ça, elle ? mon Dieu ! de qui parlez-vous donc, jeune homme ? Vous croyez que, là-bas, là-haut… Mon Dieu !… Mon Dieu !… Que Vous ai-je donc fait ?

Ivan Andréevitch essaya de se retourner sur le dos, en signe de désespoir.

— Vous, à quoi ça vous sert de savoir qui elle est ? Ah, sacredieu ! Allez, tant pis, je sors…

— Mon cher monsieur, mais non ? et moi, et moi, qu'est-ce que je deviens ? marmonna Ivan Andréevitch, s'accrochant, dans un accès de désespoir, à un pan du frac de son voisin.

— En quoi ça me regarde ? Vous pouvez rester seul. Et si vous ne voulez pas, eh bien, je crois que je vais dire que vous êtes mon oncle, vous avez dilapidé votre fortune, pour que le vieux n'aille pas croire que je suis l'amant de sa femme.

— Mais, jeune homme, c'est impossible ; c'est contre nature, l'oncle. Personne ne vous croira. Un petit bambin comme ça ne vous croirait pas, chuchotait, désespéré, Ivan Andréevitch.

— Alors, arrêtez de jacasser, et restez là, tranquille, faites le mort ! Passez la nuit si vous voulez – demain, vous trouverez bien un moyen de sortir ; personne ne vous remarquera ; s'il y en a un qui est déjà sorti, je parie qu'on n'ira pas penser qu'il y en a un deuxième. Pourquoi pas douze ! Mais vous en valez douze à vous tout seul. Poussez-vous, ou je m'en vais.

— Vous vous moquez de moi, jeune homme… Et si je toussais ? Il faut prévoir le pire !

— Chut !…

— Qu'est-ce que c'est ? comme s'ils recommençaient à s'agiter, là-haut, marmonna le petit vieux, lequel avait sans doute eu le temps de s'endormir.

— Là-haut ?

— Vous entendez, jeune homme, là-haut !

— Mais oui, j'entends.

— Mon Dieu, jeune homme, je m'en vais.

— Eh bien moi, je ne sors plus ! Tant pis ! Tout est raté, tant pis ! Et vous savez ce que je soupçonne ? Je soupçonne que vous êtes un mari berné, voilà ce que vous êtes…

— Dieu, quel cynisme !… Vous soupçonnez vraiment ? Mais pourquoi justement un mari ?… je ne suis pas marié.

— Comment pas marié ? Des flûtes !

— Je suis un amant moi-même, si ça se trouve !

— Il est beau, l'amant !

— Mon cher monsieur, mon cher monsieur ! Bon, je veux bien, je vais tout vous raconter. Entrez dans ma désespérance. Ce n'est pas moi, je ne suis pas marié. Moi aussi, je suis célibataire, autant que vous. C'est mon ami, un camarade d'enfance… moi, je suis un amant… Il me dit : "Je suis un homme infortuné, je bois, il me dit, la coupe, je soupçonne mon épouse." – "Mais, lui réponds-je comme un homme de bon sens, pourquoi la soupçonnes-tu ?…" Mais vous ne m'écoutez pas. Ecoutez, écoutez ! "La jalousie est ridicule, je lui dis, la jalousie est un vice !…" – "Non, il me dit, je suis un homme infortuné ! Je, comme qui dirait…

la coupe c'est-à-dire, je soupçonne." – "Tu es, je lui dis, le camarade de ma tendre enfance. Nous cueillîmes ensemble les fleurs des plaisirs, nous nous noyâmes dans les duvets des voluptés." Mon Dieu, je ne sais plus ce que je dis. Mais vous ne faites que rire, jeune homme. Vous me rendrez fou.

— Mais vous l'êtes déjà !…

— Oui, oui, je me doutais bien que vous diriez ça… quand j'ai parlé du fou. Riez, riez, jeune homme ! Moi aussi j'ai fleuri en mon temps, moi aussi, j'ai séduit. Ah ! vous allez me faire attraper une apoplexie !

— Qu'est-ce que c'est, mon petit cœur, comme si quelqu'un éternuait chez nous ? chantonna le vieillard. C'est toi, mon petit cœur, qui éternues ?

— Oh, mon Dieu ! bredouilla son épouse.

— Chut ! entendit-on sous le lit.

— C'est là-haut, sans doute, qu'on fait du bruit, remarqua l'épouse, effrayée, parce que, réellement, ça devenait bruyant, sous le lit.

— Oui, là-haut, marmonna le mari. Là-haut ! Je t'ai dit, un petit dandy – kc'hi ! kc'hi ! un petit dandy, avec ses petites moustaches – kc'hi ! kc'hi ! oh, mon Dieu – ce dos !… je viens de croiser un petit dandy, avec des petites moustaches !

— Des petites moustaches ! Mon Dieu, mais, c'est vous, sans doute, chuchota Ivan Andréevitch.

— Seigneur Jésus, quel homme ! Mais je suis ici, je suis couché avec vous, ici ! Comment aurait-il pu me croiser ? Et ne vous accrochez pas à ma figure !

— Jésus, je sens que je m'évanouis.

A cet instant, en haut, on entendit vraiment du bruit.

— Qu'est-ce qui s'est passé ? chuchota le jeune homme.

— Mon cher monsieur ! je suis dans l'effroi, dans l'épouvante ! Au secours.

— Chut !

— C'est vrai, mon petit cœur, du bruit ; un tapage, oui. Et encore au-dessus de ta chambre. On envoie demander ?

— Mais non ! Qu'allez-vous encore chercher !

— Bon, je me tais ; vraiment, tu es de mauvaise humeur, ce soir !...

— Oh, mon Dieu, vous devriez aller dormir !...

— Lisa ! tu ne m'aimes pas du tout.

— Ah, mais si, je vous aime ! Au nom du ciel, je suis si fatiguée.

— Bon, bon, je m'en vais.

— Ah, non, non, ne partez pas, s'écria son épouse. Ou non, partez, partez !

— Mais que vous arrive-t-il, enfin ! Partez, ne partez pas ! Kc'hi-kc'hi ! Non, je vais vraiment me coucher... kc'hi-kc'hi ! Les petites filles, chez les Panafidine... kc'hi-kc'hi ! les petites filles... kc'hi ! la poupée, de la petite fille, je l'ai vue, de Nuremberg, kc'hi-kc'hi...

— Il ne manquait plus que les poupées !

— Kc'hi-kc'hi ! Très bien, cette poupée, kc'hi-kc'hi !

— Il lui dit au revoir, marmonna le jeune homme, il s'en va, et nous aussi, on part. Vous entendez ? Réjouissez-vous !

— Oh, Dieu vous entende ! Dieu vous entende !

— Que ça vous serve de leçon…

— Jeune homme, pourquoi ça, de leçon ?… Je le sens, vous… Mais vous êtes encore jeune ; vous n'avez pas à me donner de leçons.

— Je vous en donne une quand même. Ecoutez.

— Ciel ! j'ai envie d'éternuer !…

— Chut ! Si seulement vous osez…

— Mais que voulez-vous que je fasse ? Ça sent tellement la souris, par ici ; je ne peux pas, moi. Prenez-moi mon mouchoir dans ma poche, au nom du ciel ; je ne peux pas faire un geste… Mon Dieu, mon Dieu, que Vous ai-je donc fait ?

— Voilà votre mouchoir ! Ce que vous Lui avez fait, je vais vous le dire. Vous êtes jaloux. En vous basant sur Dieu sait quoi, vous courez comme un dératé, vous vous engouffrez dans des logements privés, vous faites du désordre…

— Jeune homme ! je n'ai fait aucun désordre !

— Taisez-vous !

— Oh, mon Dieu ! mon Dieu !

— Vous faites du désordre, vous effrayez une jeune dame, une femme fragile, qui a si peur qu'elle ne sait plus où se mettre, et qui, peut-être, en tombera malade ; vous inquiétez un digne vieillard, mis au supplice par ses hémorroïdes, et qui a d'abord besoin de repos – et tout cela, pourquoi ? parce que vous vous imaginez on ne sait quelles bêtises qui vous poussent à courir dans tous les sens ! Comprenez-vous, comprenez-vous, dans quelle terrible situation vous vous êtes fourré ? Vous le sentez, cela ?

— Mon cher monsieur, oui ! Je le sens, mais vous n'avez pas le droit…

— Taisez-vous ! De quel droit parlez-vous ! Comprenez-vous que tout cela peut avoir une issue tragique ? Comprenez-vous que ce vieillard qui aime son épouse peut perdre la raison quand il vous verra sortir de sous le lit ? Mais non, vous êtes incapable de faire une tragédie ! Quand vous ressortirez, je crois que tous ceux qui vous verront ne pourront qu'éclater de rire. J'aimerais bien vous voir à la lumière des bougies ; vous devez être d'un ridicule…

— Et vous ? Vous aussi, vous êtes ridicule, dans ce cas-là ! Moi aussi, je voudrais vous regarder.

— Vous, pff !

— Vraiment, vous êtes marqué du sceau de l'immoralité, jeune homme !

— Ah ! vous et l'immoralité ! Qu'est-ce que vous en savez, pourquoi je suis ici ? Je suis ici par erreur ; je me suis trompé d'étage. Et le diable sait pourquoi on m'a laissé entrer ! Ou, réellement, elle devait attendre quelqu'un (pas vous, bien sûr). Je me suis caché sous le lit quand j'ai entendu vos pas d'imbécile, quand j'ai vu que la dame s'effrayait. En plus, il faisait sombre. Et est-ce que je peux servir, moi, à vous justifier ? Vous êtes, monsieur, un vieillard jaloux et ridicule. Parce que, pourquoi est-ce que je ne sors pas ? Vous croyez peut-être que j'ai peur de sortir ? Non, monsieur, je serais sorti depuis longtemps, c'est juste par pitié pour vous que je reste ici. Hein, qu'est-ce que vous feriez sans moi, ici ? Vous serez là, devant eux, comme une souche, vous resterez pantois…

— Non : pourquoi ça, comme une souche ? Pourquoi cet objet-là précisément ? Vous ne pouviez pas trouver un autre objet de comparaison, jeune homme ? Comment je resterai pantois ? Non, pas du tout pantois.

— Mon Dieu, comme il aboie, ce petit chien !

— Chut ! Ah, mais c'est vrai… C'est parce que vous bavardez toujours. Vous voyez, vous avez réveillé le petit chien. Maintenant, nous sommes cuits.

De fait, le petit chien de la dame, lequel, pendant tout ce temps-là, avait dormi dans un coin sur son coussinet, venait soudain de se réveiller, avait senti les intrus et, avec force aboiements, s'était jeté sous le lit.

— Oh, mon Dieu, qu'il est bête, ce petit chien ! chuchota Ivan Andréevitch. Il va nous dénoncer. Il va trouver le pot aux roses. Ah, quelle malédiction !

— Mais oui : vous avez tellement peur que tout peut arriver.

— Ami, Ami, ici ! s'écria la dame. *Ici, ici* * !

Mais le petit chien n'obéissait plus, il grimpait maintenant sur Ivan Andréevitch.

* En français dans le texte. *(N.d.T.)*

— Qu'a-t-il donc, mon petit cœur, notre Amichka, à aboyer tout le temps ? demanda le petit vieux. Il y a des souris, sans doute, là-dessus, ou alors, c'est Minet. Moi aussi, j'entends ça, "aptchi, aptchi"… Minet, aujourd'hui, il était enrhumé.

— Pas un geste ! chuchota le jeune homme, ne gigotez pas ! Il finira peut-être par vous laisser.

— Mon cher monsieur ! Mon cher monsieur ! Ne me tenez pas les mains ! Pourquoi vous me les tenez ?

— Chut ! Taisez-vous !

— Mais, voyons, mais, jeune homme, mais il me mord le nez ! Vous voulez qu'il me prive de nez ?

S'ensuivit une lutte, et Ivan Andréevitch se dégagea les mains. Le petit chien s'égosillait ; soudain, il cessa d'aboyer et se mit à piauler.

— Ah ! s'écria la dame.

— Monstre ! Qu'est-ce que vous faites ? chuchota le jeune homme. Vous nous tuez tous les deux ! Pourquoi l'attrapez-vous ? Mon Dieu, mais il l'étrangle ! Ne l'étranglez pas, laissez-le ! Monstre ! Vous ne connaissez pas le cœur des femmes après un coup pareil ! Elle va nous livrer tous les deux, si vous lui étranglez son petit chien.

Mais Ivan Andréevitch n'entendait déjà plus rien. Il avait réussi à saisir le petit chien, et, dans un accès d'autodéfense, il lui serrait la gorge. Le petit chien geignit et rendit l'âme.

— Nous sommes morts ! chuchota le jeune homme.

— Amichka ! Amichka ! s'écria la dame. Mon Dieu, qu'est-ce qu'ils ont fait à mon petit Amichka ? Amichka ! Amichka ! O les monstres ! les barbares ! Ciel, je défaille !

— Qu'est-ce qu'il y a ? Qu'est-ce qu'il y a ? s'écria le petit vieux, bondissant de son fauteuil. Qu'est-ce que tu as, mon cœur ? Amichka, ici ! Amichka, Amichka, Amichka ! criait le petit vieux, claquant des doigts, joignant les lèvres et rappelant Amichka de sous le lit. Amichka ! *ici, ici !* Ce n'est pas possible que Minet l'ait croqué comme ça ! Il faut fouetter Minet, mon amie ; un mois qu'on ne l'a plus fouetté, ce voyou-là. Qu'est-ce que tu en penses ? Je vais demander, demain, à Prascovia Zakharievna. Mais, doux Jésus, mon amie, qu'est-ce qui t'arrive ? Tu es toute pâle ! Holà ! Holà ! des gens ! des gens !

Et le petit vieux se mit à courir à travers la chambre.

— Les assassins ! les monstres ! criait la dame, effondrée sur une couchette.

— Qui ça ? Qui ça ? Qui donc ? criait le vieillard.

— Il y a des gens ici, des étrangers... là, sous le lit ! Oh, mon Dieu ! Amichka ! Amichka ! Qu'est-ce qu'ils t'ont fait ?

— Mon Dieu, Jésus ! Quelles gens ? Amichka !... Non, nos gens, les gens, ici ! Qui est là ? Qui est là ? s'écria le vieillard, saisissant une bougie et se penchant sous le lit, qui est là ? Les gens ! Les gens !...

Ivan Andréevitch gisait, entre la vie et la mort, auprès du corps défunt d'Amichka. Mais le jeune homme guettait le moindre mouvement du vieillard. Soudain, celui-ci passa de l'autre côté, vers le mur, et se pencha. En un instant, le jeune homme sortit de sous le lit, et se mit à courir, tandis que le mari cherchait ses hôtes du côté opposé de sa couche nuptiale.

— Mon Dieu ! chuchota la dame, scrutant des yeux le jeune homme. Mais qui êtes-vous donc ? Moi qui me disais…

— L'autre monstre est resté, chuchota le jeune homme. C'est lui le coupable de la mort d'Amichka !

— Ah ! s'écria la dame.

Mais le jeune homme avait déjà disparu de la chambre.

— Aïe ! Il y a quelqu'un, ici. Je vois une botte ! s'écria le mari en saisissant la jambe d'Ivan Andréc-vitch.

— Assassin ! Assassin ! criait la dame. Ami ! Oh, mon Ami !

— Sortez de là, sortez de là ! criait le vieillard, tapant des deux pieds sur le tapis. Sortez ; qui êtes-vous ? parlez, qui êtes-vous ? Mon Dieu, quel homme étrange !

— Mais ce sont des brigands !…

— Au nom du ciel ! Au nom du ciel ! criait Ivan Andréevitch, tout en sortant, au nom du ciel, Votre Excellence, n'appelez pas vos gens ! Votre Excellence, n'appelez pas les gens ! c'est totalement inutile. Vous ne pouvez pas me jeter dehors… Je ne suis pas homme à ça ! Je suis quelqu'un… Votre Excellence, c'est arrivé par erreur ! Je vais tout vous expliquer, Votre Excellence, poursuivait Ivan Andréevitch, pris de sanglots et de hoquets. C'est la femme, tout ça, c'est-à-dire, pas ma femme, non, la femme d'un autre – moi, je ne suis pas marié, je suis… tel quel… C'est mon ami et camarade d'enfance…

— Quel camarade d'enfance ! criait le vieillard, tapant des pieds. Vous êtes un voleur, vous êtes venu cambrioler… pas un camarade d'enfance…

— Non, pas un voleur, Votre Excellence ; je suis vraiment un camarade d'enfance… je me suis juste trompé, sans faire exprès, je me suis trompé de porte.

— Oui, je vois, monsieur, je vois de quelle porte vous sortez.

— Votre Excellence ! Je ne suis pas comme ça. Vous faites erreur. Je dis que vous êtes dans une erreur totale, Votre Excellence. Jetez un œil sur moi, regardez-moi, vous verrez à certains signes et symptômes que je ne peux pas être un voleur. Votre Excellence ! Votre Excellence ! criait Ivan Andréevitch, joignant les mains en geste de prière et s'adressant à la jeune dame. Vous êtes une dame, comprenez-moi… Je suis le meurtrier d'Amichka… Mais ce n'est pas ma faute, je vous jure, ce n'est pas ma faute… C'est à la femme, la faute. Je suis un homme infortuné, je bois la coupe !

— Mais, mon Dieu, qu'en ai-je donc à faire, que vous buviez la coupe ; si ça se trouve, vous en avez déjà bu plus d'une – à la mine que vous avez, ça se voit bien ; pourtant, comment êtes-vous entré ici, monsieur ? criait le vieillard qui tremblait d'émotion, quelque peu rassuré, pourtant, de fait, à quelques signes et symptômes, qu'Ivan Andréevitch fût hors d'état d'être un voleur. Je vous demande : comment êtes-vous entré ici ? Comme un brigand...

— Pas un brigand, Votre Excellence. Je me suis juste trompé de porte ; je vous jure, pas un brigand ! Tout ça, c'est que je suis jaloux. Je vais tout vous dire, Votre Excellence, tout vous dire sincèrement, comme à mon propre père, parce qu'avec l'âge que vous avez, je peux vraiment vous prendre pour mon père.

— Comment ça, l'âge que j'ai ?!

— Votre Excellence ! Je vous ai offensé, je crois. C'est vrai, une dame si jeune... et vous, votre âge... ça fait plaisir, Votre Excellence, vraiment, ça fait plaisir de voir un mariage comme le vôtre... la fleur de l'âge... Mais n'appelez pas les gens... au nom du ciel, n'appelez pas les gens... les gens, tout ce qu'ils feront, c'est rire... je les connais... C'est-à-dire, je veux dire par là que je connais des domestiques, moi aussi, j'ai des domestiques, Votre Excellence, ils rient toujours... des ânes, Votre Clarté !... je me trompe, je crois, je parle à un prince...

— Non, pas à un prince, mon cher monsieur, je suis un particulier... N'essayez pas de m'amadouer avec des "Votre Clarté". Comment êtes-vous rentré ici, monsieur ? comment ?

— Votre Clarté, je veux dire, Votre Excellence... pardonnez-moi, je pensais que vous étiez une clarté. J'ai mal vu… j'ai confondu – des choses qui arrivent. Vous ressemblez tellement au prince Korotkooukhov, que j'ai eu l'honneur de voir chez un de mes amis, *monsieur* Pouzyriov… Vous voyez, moi aussi, je connais des princes, moi aussi, j'ai vu un prince chez mon ami ; vous ne pouvez pas me prendre pour celui pour qui vous me prenez. Je ne suis pas un voleur. Votre Excellence, n'appelez pas les gens ; tenez, vous appelez les gens, et qu'est-ce qui se passe ?

— Mais comment donc êtes-vous entré ici ? s'écria la dame. Qui êtes-vous ?

— Oui, qui êtes-vous ? reprit le mari. Et moi, mon petit cœur, je me disais, c'est Minet, sous le lit, avec son rhume. Et non, c'est lui. Un don Juan de gouttière… Qui êtes-vous ? Mais parlez donc !

Le petit vieux se remit à trépigner sur le tapis.

— Je ne peux pas parler, Votre Excellence. J'attends que vous ayez fini… J'écoute vos plaisanteries pleines d'humour. Moi, c'est une histoire ridicule, Votre Excellence. Je vais tout vous raconter. Ça peut s'éclaircir même sans ça, enfin, je veux dire : n'appelez pas les gens, Votre Excellence ! Montrez-vous magnanime… Ce n'est pas grave, si je suis resté sous le lit… ma dignité n'en est pas remise en cause. C'est une histoire des plus comiques, Votre Excellence ! s'écria Ivan Andréevitch, s'adressant, l'air larmoyant, à l'épouse. C'est surtout vous, Votre Excellence, qui allez rire ! Vous voyez sur scène un mari jaloux. Vous voyez, je m'abaisse, je m'abaisse, volontairement. Bien sûr, je suis le meurtrier d'Amichka, mais… Mon Dieu, je ne sais plus ce que je dis !

— Mais comment, comment vous êtes-vous retrouvé ici ?

— En profitant de l'obscurité nocturne, Votre Excellence, en profitant de cette obscurité… Je me repens ! pardonnez-moi, Votre Excellence ! Très humblement, je vous demande pardon ! Je ne suis qu'un mari bafoué, rien d'autre ! Ne croyez pas, Votre Excellence, que je sois un amant : je ne suis pas un amant ! Votre épouse est très vertueuse, si j'ose m'exprimer ainsi. Elle est pure et innocente !

— Quoi ? quoi ? qu'est-ce que vous osez dire ? s'écria le vieillard, se remettant à trépigner. Vous êtcs fou, ou quoi ? Comment osez-vous parler de mon épouse ?

— C'est lui, le monstre, l'assassin qui est le meurtrier d'Amichka ! criait l'épouse en s'inondant de larmes. Il ose encore !

— Votre Excellence, Votre Excellence ! j'ai juste dit une bêtise ! criait, abasourdi, Ivan Andréevitch. J'ai dit une bêtise, rien d'autre ! Comptez que je suis fou… Au nom du ciel, comptez que je suis fou… Je vous le jure, sur mon honneur, vous me rendrez un grand service. Je vous serrerais bien la main, mais je n'ose pas… Je n'étais pas seul, je suis l'oncle… c'est-à-dire, je veux dire qu'on ne peut pas me prendre pour un amant… Mon Dieu ! Je dis encore des bêtises… Ne vous fâchez pas, Votre Excellence, criait Ivan Andréevitch à la dame.

Vous êtes une dame, vous comprenez ce que c'est que l'amour… c'est fin, comme sentiment… Mais qu'est-ce que ?… Des bêtises, toujours ! C'est-à-dire, je veux dire que je suis un vieillard, je veux dire un homme d'un certain âge, pas un vieillard, je ne peux pas être votre amant, l'amant, c'est Richard-son, je veux dire Lovelace… je ne dis que des bêtises ; mais, vous voyez, Votre Excellence, je suis savant, je connais la littérature. Vous riez, Votre Excellence ! Quelle joie, quelle joie, d'être *originaire* de votre rire, Votre Excellence. Oh, quelle joie, oui, d'être originaire de ce rire !

— Mon Dieu ! mais il est ridicule, cet homme-là ! criait la dame, hurlant de rire.

— Oui, vraiment ridicule, et vraiment sale, reprit le mari, tout joyeux que sa femme se fût mise à rire. Mon petit cœur, il ne peut pas être un voleur. Mais comment donc est-il entré ici ?

— C'est réellement étrange ! réellement étrange, Votre Excellence, on dirait un roman ! Comment ? Dans le noir de minuit, dans une capitale, un homme sous le lit ? C'est ridicule, c'est étrange ! Rinaldo Rinaldini, pour ainsi dire. Mais ce n'est rien, tout ça n'est rien, Votre Excellence. Je vais tout vous raconter… Et vous, Votre Excellence, je vais vous trouver un autre bichon… un bichon étonnant. Des poils, comme ça, d'une longueur, des pattes riqui-qui, il ne sait pas faire deux pas : il court, il s'em-mêle dans ses poils, et hop, il tombe. Il ne mange que du sucre. Je vous l'apporterai, Votre Excellence, à coup sûr, je vous l'apporte.

— Ha-ha-ha-ha-ha ! La dame, sous l'effet du rire, roulait d'un bout à l'autre de son divan. Mon Dieu, j'ai une crise d'hystérie. Ouh, qu'il est ridicule !

— Oui, oui, ha-ha-ha ! kc'hi-kc'hi-kc'hi ! oui, ridicule, et tellement sale, kc'hi-kc'hi-kc'hi !

— Votre Excellence, Votre Excellence, à présent je suis parfaitement heureux ! Je vous offrirais ma main, mais je n'ose pas, Votre Excellence, je sens que j'étais dans l'erreur, mais, à présent, j'ouvre les yeux. Je le crois, ma femme est pure et innocente ! Je la soupçonnais à tort.

— Sa femme ! Mon Dieu, sa femme ! criait la dame, les larmes aux yeux tant elle riait.

— Il est marié ? Pas possible ! Jamais je n'aurais cru ! reprit le vieillard.

— Votre Excellence, ma femme – c'est sa faute à elle, c'est-à-dire que c'est ma faute à moi ; je la soupçonnais ; je savais qu'un rendez-vous était fixé ici – ici, là-haut ; j'ai intercepté un billet, je me suis trompé d'étage, je suis resté sous le lit…

— Hé-hé-hé-hé !

— Ha-ha-ha-ha !

— Ha-ha-ha-ha ! fit à son tour Ivan Andréevitch en éclatant de rire. Oh, comme je suis heureux, oh, comme il est touchant de voir toute notre concorde et notre joie ! Et ma femme, blanche comme neige ! J'en suis presque sûr. Parce que c'est ça, absolument, n'est-ce pas, Votre Excellence ?

— Ha-ha-ha, kc'hi-kc'hi ! Tu sais, mon petit cœur, qui c'est ? reprit enfin le vieillard, sortant un peu de son rire.

— Qui ? Ha-ha-ha ! Qui ?

— La petite mignonne, là, celle qui fait les yeux doux, celle avec le dandy. C'est elle ! Ma main au feu que c'est sa femme !

— Non, Votre Excellence, je suis sûr que ce n'est pas elle ; j'en suis parfaitement sûr.

— Mais, mon Dieu, vous perdez du temps, s'écria la dame, cessant de rire. Courez, montez à l'étage au-dessus. Vous les trouverez peut-être…

— C'est vrai, Votre Excellence, je vole. Mais je ne trouverai personne, Votre Excellence ; ce n'est pas elle, je suis sûr à l'avance. Elle est à la maison. C'est moi ! Moi, je suis juste jaloux, c'est tout… Qu'en pensez-vous, je les trouverai vraiment là-haut, Votre Excellence ?

— Ha-ha-ha !

— Hi-hi-hi ! Kc'hi-kc'hi !

— Partez, partez ! Et quand vous reviendrez, passez nous dire, criait la dame, ou non ; plutôt demain matin, et amenez-la aussi : je veux faire sa connaissance.

— Adieu, Votre Excellence, adieu ! Je vous l'amène sans faute ; enchanté de vous connaître. Je suis heureux et content que tout se termine et se dénoue ainsi, d'une façon si surprenante, dans le meilleur des mondes.

— Et le bichon ! N'oubliez pas, n'est-ce pas : amenez surtout le bichon !

— Je l'amène, Votre Excellence, je l'amène sans faute, reprit Ivan Andréevitch, qui rentra dans la chambre en courant, car il avait déjà eu le temps de prendre congé et de sortir. Je l'amène sans faute. Tellement mignon. Un confiseur, qui l'aurait fait, rien qu'avec du bonbon, on pourrait croire. Vous le verriez : il avance – il s'emmêle dans ses poils, il tombe. Non, mais, vraiment ! Je dis à ma femme : "Pourquoi, mon petit cœur, il tombe toujours ?" "Oui, il est tellement mignon", elle me dit. Du sucre, Votre Excellence, je vous jure, un bichon tout en sucre ! Adieu, Votre Excellence, enchanté, mais enchanté de vous connaître, enchanté, oui, de vous connaître !

Ivan Andréevitch s'inclina et sortit.

— Eh, vous ! Cher monsieur ! Attendez un peu, revenez ! s'écria le petit vieux dans le dos d'Ivan Andréevitch.

Ivan Andréevitch revint une troisième fois.

— Dites, je n'arrive pas à retrouver Minet. Vous ne l'auriez pas rencontré, quand vous étiez sous le lit ?

— Non, non, Votre Excellence, je ne l'ai pas rencontré ; du reste, enchanté de le connaître. Et je prendrai pour un grand honneur…

— Il a un rhume, en ce moment, il tousse toujours, "aptchi, aptchi" ! Il faut le fouetter !

— Oui, Votre Excellence, bien sûr ; les punitions de redressement sont indispensables avec les animaux domestiques.

— Pardon ?

— Je dis : les punitions de redressement, Votre Excellence, elles sont indispensables à une instauration de l'obéissance chez les animaux domestiques.

— Ah !... bon, alors, bon vent, bon vent, c'était juste comme ça.

Sorti sur le trottoir, Ivan Andréevitch resta un long moment dans un état qui aurait fait penser qu'il s'attendait, d'une seconde à l'autre, à avoir une attaque. Il ôta son chapeau, essuya la sueur froide qui lui coulait sur le front, plissa les yeux, pensa à quelque chose, et retourna chez lui.

Quelle ne fut pas sa stupeur quand, chez lui, il apprit que Glafira Petrovna était rentrée du théâtre depuis fort longtemps, que, depuis fort longtemps, une rage de dents l'avait accablée, qu'elle avait envoyé quérir un médecin, et envoyé quérir de même des sangsues, et qu'elle était, à présent, allongée dans son lit, et attendant Ivan Andréevitch.

Ivan Andréevitch se frappa d'abord le front, puis commanda de quoi se laver et se nettoyer, puis, finalement, se résolut à entrer dans la chambre à coucher de son épouse.

— Où donc passez-vous votre temps ? Regardez-vous, à quoi vous ressemblez ! Vous n'êtes plus vous-même ! Où étiez-vous passé ? Voyons, monsieur : votre épouse agonise, on vous cherche dans toute la ville. Où étiez-vous ? Vous n'étiez pas encore en train de me piéger, en train de défaire un rendez-vous que j'aurais fixé à je ne sais qui ? C'est une honte, monsieur, d'être un mari comme vous ! Bientôt tout le monde vous montrera du doigt !

— Mon petit cœur, répondit Ivan Andréevitch.

Mais, là, il ressentit une telle émotion qu'il fut obligé de mettre sa main dans sa poche pour en extraire un mouchoir et interrompre le discours qu'il avait engagé, car tout lui faisait défaut, les mots, les idées, et la présence d'esprit... Quelles ne furent pas sa stupeur, sa frayeur et son épouvante quand, en même temps que le mouchoir, il vit tomber de cette poche le défunt Amichka ? Ivan Andréevitch n'avait même pas remarqué comment, pris d'un élan de désespoir, forcé de sortir de sous le lit, il s'était fourré Amichka, dans un accès de frayeur inconsciente, au fond de la poche, avec l'espoir – assez flou – d'enterrer le pot aux roses, de cacher l'objet de son crime, et d'éviter ainsi le châtiment qu'il méritait.

— Qu'est-ce que c'est ? s'écria son épouse. Un petit chien crevé ! Mon Dieu ! D'où est-ce que... ? Qu'cst-cc que vous... ? Où êtes-vous allé ? Parlez, tout de suite, où êtes-vous allé ?

— Mon petit cœur, répondait Ivan Andréevitch, plus mort encore qu'Amichka, mon petit cœur...

Mais, ici, nous laisserons notre héros – jusqu'à une autre fois, car c'est ici que commence une aventure toute nouvelle, et tout à fait particulière. Un jour, nous finirons le récit, messieurs, de toutes ces infortunes, et de cet acharnement du sort. Mais concédez que la jalousie est une passion impardonnable : je dirai plus – une malédiction !...

TABLE

BABEL

Extrait du catalogue

COÉDITION ACTES SUD – LABOR – L'AIRE

Ouvrage réalisé
par les Ateliers graphiques Actes Sud.
Achevé d'imprimer
en janvier 1994
par l'Imprimerie Bussière
à Saint-Amand-Montrond
sur papier des
Papeteries de Navarre
pour le compte
d'ACTES SUD
Le Méjan
13200 Arles.

N° d'éditeur : 1495
Dépôt légal
1ʳᵉ édition : février 1994
N° impr. 572